605733 ACO. —

Los dados de Dios

Hugo Burel

ALFAGUARA

Los dados de Dios

ALFAGUARA

© 1997, Hugo Burel
© De esta edición:
1997, Ediciones Santillana, SA
Javier de Viana 2350. 11200 Montevideo
Teléfono   427342
Telefax   423741
Correo electrónico: edicion@santillana.com.uy

• Santillana, SA
Juan Bravo, 38. 28006 Madrid
• Aguilar, Altea, Taurus, Alfaguara, SA
Beazley 3860. 1437 Buenos Aires
• Aguilar Chilena de Ediciones Ltda.
Pedro de Valdivia 942, Santiago de Chile

ISBN: 9974-590-79-5
Hecho el depósito que indica la ley.
Diseño:
Proyecto de Enric Satué
Cubierta:
Ilustración: Jorge Damiani, acrílico sobre tela, *Árbol y compartimentos,* 1997
Composición: Andrés Rojí

Impreso en Uruguay. Printed in Uruguay
Primera edición: Agosto de 1997. 2000 ejemplares

1

FIGURAS EN UN PAISAJE

Qué me dio Dios para gastar,
qué?, que no entiendo.

Líber Falco

1

Había llegado a la ciudad a media mañana, aprovechando el tren que salía de la Estación Central a las seis de la madrugada. El viaje, lento y con detenciones reiteradas en pueblos que en muchos casos no pasaban de veinte casas y algunos galpones, no le había resultado tedioso, acaso por el hecho de prolongar la expectativa de reencontrarse con B., de volver a disfrutar de esas horas escasas y fundamentales que desde hacía un año se dedicaban.

El pueblo era pequeño y limpio, bañado por un sol ya casi primaveral que se abría paso por entre los vapores neblinosos de las tierras más bajas que marginaban las vías y el esbozo de una tormenta que asomaba por el oeste. Desde el tren, mientras la locomotora Diesel enlentecía su marcha al llegar a la última curva antes del andén, había contemplado el elemental trazado de las calles que bajaban hacia el río, marrón y quieto, y había sentido la presencia de algo plural e indefinido, una sensación vinculada a la ausencia y a la plenitud. Con una certeza tranquila y de alguna manera unida a su idea de absoluto, no dejaba de pensar que ese lugar bien podía ser para él invisible sin la presencia de B. Por tanto, llegar hasta allí en esa mañana de setiembre era como estar inventando cada vereda que estaba viendo, las nubes grises que se amontonaban sobre el horizonte de la costa, las casas de techos bajos, los álamos que marginaban el cementerio, los bancos de la plaza, el monumento al prócer y las palomas que lo ensuciaban.

Nunca había estado allí, de la misma manera que nunca había estado en El Cairo o en Amsterdam. Ello equivalía a decir que su ignorancia sobre el lugar no era genérica, porque disponía de ese tipo de información sucinta que hace que un sitio nunca nos resulte del todo extraño. Para él, era suficiente que B. hubiera invocado el nombre del pueblo y propuesto la cita del mediodía, sin más explicaciones ni motivos. Apenas la indicación del lugar, la confitería del hotel principal y la advertencia de que "debían hablar de manera inevitable y franca".

Las palabras no lo habían amedrentado. Ella era muy proclive a ese tipo de advertencias y en todo ese tiempo varias veces habían merodeado los asuntos graves y el tono bajo con el que se plantean las rupturas. No obstante, hoy podían estar, por fin, los motivos decisivos y podía ser esa la ciudad del adiós.

Pocas personas habían descendido con él en el andén antiguo, construido por los ingleses y desgastado por el uso de criollos en viaje hacia la Capital o hacia el Puerto de la Colonia. Mientras el tren reanudaba su marcha, él permaneció bajo el alero de madera y hierro, dudando entre sentarse en uno de los bancos alineados contra la pared de la sala de espera o rodear el edificio de la estación para llegar a los baños. Sus piernas estaban entumecidas por el viaje y sentía la urgente necesidad de un café. Entre las dos ventanillas de la boletería vio, enmarcado y con letras rojas y negras, el comunicado del Ministerio de Salud Pública sobre la epidemia. Ahora, al entumecimiento y al sopor del madrugón le agregó un sentimiento de temor innominado, neutral, referido a un microbio o al aire diáfano de la mañana. Desechó la idea de ir a esos baños y con dos horas por delante, prefirió empezar a recorrer el pueblo.

Se dijo que afuera siempre se vivía mejor y descubrió el oscuro sentido nostalgioso de ese "afuera" con que los de la Capital se referían al mundo de la campaña, simple y sujeto a horarios naturales, a tiempo transcurriendo con lentitud y a gente capaz de aguardar trenes impuntuales. Era probable que el edicto del Ministerio fuera una simple medida administrativa —en momentos en que la enfermedad ya había retrocedido y solo se registraba casos aislados—, alentada por la Junta local y aprobada por el director del Hospital para que el visitante, al llegar, supiera que era ese un sitio civilizado y capaz de defenderse de una epidemia.

Mientras A. inicia su caminata, a treinta quilómetros de la ciudad, B. desayuna.

Su mirada tiene una cualidad acuosa y el desorden de su pelo sugiere una noche insomne, ahuecando la almohada sin encontrar acomodo. En la amplia cocina de la casa, solo ella permanece, inmóvil y con el tazón entibiándole las manos, detenido a medio camino entre la mesa y su boca. Hace muchas horas que ha recibido la llamada con las palabras, breves y lacónicas, de alguien que no ha querido identificarse. El mensaje: "En breve su esposo será liberado, la causa está triunfando". Piensa en una grieta que se cierra, en un tiempo que termina, en sus hijos que deambulan a esa hora por el campo, entreverados en las tareas de los peones, entregados a juegos de violencia simulada. Por primera vez se siente extranjera y como sobrando en ese lugar lejanamente familiar pero hospitalario. En los últimos meses ha vivido allí, sitiada por el exilio y la epidemia, detenida en el tiempo de la espera.

Puede recordar, con el acelerado mecanismo de un filme que se proyecta hacia atrás, y ver los hechos desvaneciéndose en hechos anteriores en una progresión inversa que amenaza llegar a la nada, a una claridad abstracta y total o a la negrura unánime de la noche de la partida. Están los cuatro en el pequeño puerto sobre el río, aguardando que la lancha culmine los preparativos para zarpar. La llovizna es como el aliento de una bestia invisible que acecha detrás del cielo, y el rumor de los preparativos se asemeja a las conversaciones breves y resigna- das de los velorios. Su marido la mira intentando prometer bienestar y, sobre todo, seguridad del otro lado del río. Los niños permanecen silenciosos, sin la excitación habitual ante una posible aventura. Antes han llorado y se han negado a abrigarse, a co- mer y a estar aseados. Han descargado la angustia en pequeñas rebeldías que el padre fue desbaratan- do con dulzura y firmeza, algo por lo general extra- ño en él, más proclive al gesto autoritario. Ella ig- nora sus sentimientos, o privilegia uno sobre los de- más: el miedo. Finalmente, una voz cortante y gra- ve anuncia que pueden subir a bordo. Él la abraza, sin atinar a pronunciar palabra alguna, asumiendo que el silencio es más elocuente y que cualquier ex- plicación habrá de provocar el llanto tan temido.

Extrañamente, ese llanto amenaza con pre- sentarse ahora, en el día en que todo parece regresar al instante anterior a aquella separación. La maña- na es luminosa, el pan está tibio y el café tiene un aroma de infancia y otra cocina. Sin embargo, las lágrimas comienzan a surgir, lentas y contenidas, vacilantes hasta que por fin se deslizan por las meji- llas encendidas por algo que podría ser alegría, pero que en realidad es rabia.

Deja el tazón sobre la mesa y cierra los ojos con violencia, permaneciendo tensa y semiencorva- da, como si un calambre general le atenazara todos los músculos del cuerpo. Permanece así un largo minuto, hasta que por fin, desde una profundidad inaudita, un grito prolongado y animal se libera y destroza el silencio.

Con paso lento, A. ha dejado atrás la estación y camina hacia la calle principal del pueblo. Con el sombrero marrón con cinta negra en la mano y la chaqueta gris de tweed abierta, no puede disimular su condición de forastero. Todo lo que ve lo ha visto antes en sitios diversos del interior del país. Pese a ello, se dedica a observar con interés, porque no tiene nada mejor que hacer en las horas que faltan para el encuentro.

Le parece extraño que hoy se hallan invertido los papeles y que no sea B. la que ha viajado para la cita. "Hablar de manera inevitable y franca": las palabras le dan vuelta como una clave. Él ha escuchado todos esos días las noticias y leído los diarios y no obstante prefiere desvincular la revolución cercana de lo que habrán de conversar. ¿Es posible un límite impuesto por la Historia —sí, con mayúscula— a una relación como la de ambos?, se pregunta, envalentonado y casi abriendo los brazos en un gesto. Prefiere pensar en la maldita epidemia, en los cordones sanitarios, en el cierre de escuelas en la Capital, en niños fallecidos, en una madre desesperada de terror, en una segunda huida al aislamiento del campo, incontaminado y feraz. ¿Y si lo inevitable y franco se refiriese a ellos, a los encuentros clandestinos y al dolor de cada separación?

Al llegar a una pequeña plazoleta enclavada entre casas muy viejas y acacias frondosas, consultó por primera vez el reloj. Desde más allá de las nubes que podía divisar le llegó un rumor de aviones en vuelo rasante. Más cerca, unos perros ladraron y la voz de un locutor radial anunció "noticias de último momento". El aparato debía estar en alguna de la casas circundantes y quien lo escuchaba probablemente oyera poco, o tal vez el silencio del pueblo era tal que todo sonido cobraba allí una dimensión nueva y vibrante. Por un momento aguardó las noticias, como alguien que, involucrado en una misión muy importante, accede por azar a una conversación reveladora sobre su proyecto y se detiene con disimulo a oírla. En ese momento lo observaban desde una ventana alta y oscura. Cuando A. se dio cuenta, se sintió extrañamente avergonzado y prosiguió su marcha atravesando la plazoleta.

En el trayecto hasta la calle principal se cruzó con vecinos que caminaban ensimismados en sus tareas matinales: comprar el pan, jugar a la quiniela, aguardar la llegada de los periódicos desde la Capital. Vio también a algunos niños vestidos de túnica blanca, caminando con apuro hacia la escuela. Al llegar a la avenida, un peso enorme abatía su nuca. Se lamentó por haber tomado ese tren para llegar inútilmente dos horas antes a la cita. Buscó con la mirada un bar y la posibilidad de un café doble o una caña. Desde el norte, y describiendo una suave parábola hacia el oeste, una escuadrilla de aviones de combate instaló lo anacrónico en la mañana diáfana.

Como siempre, estamos haciendo pamento —pensó con pesadumbre. Los sucesos del otro lado del río no lo conmovían. Nada en ese momento podía ser más importante que el encuentro con B., la posibilidad de tomarle las manos y atraerla con lentitud hasta besarla y perderse en un entrecortado murmullo de gemidos y monosílabos, como dos niños que han estado extraviados y de pronto se reúnen y con atropellada alegría se cuentan mutuamente la aventura de estar perdidos.

Sentado, con el pocillo de café humeante sin tocar sobre el mármol gris de la mesa, se deja llevar por el inevitable desaliento, como si recién en ese momento tomase conciencia del sentido del viaje y del encuentro. Debería haber pedido caña —piensa mientras un lento escalofrío se le despega de la piel. Nos concedieron un año y el año ha pasado.

Tras el grito, la realidad se le aparece como un teatro pronto a ser desmontado. La cocina y el campo circundante parecen perder consistencia y el sentido protector del lugar se le antoja ahora inútil. Debería estar agradecida a la gente que la ha hospedado, en esos meses posteriores a la declaración de la epidemia, cuando la Capital era un lugar amenazante y plagado de rumores. La conversación con el doctor De Marco había terminado por decidirla. Le había hablado de la enfermedad y su altísima peligrosidad, en especial, claro, para los niños, cuyo sistema nervioso es invadido a partir del ingreso del virus vía bucal y su diseminación posterior en el torrente sanguíneo. "El momento de la invasión o difusión de la enfermedad —había descrito De Marco— puede manifestarse por malestar, fiebre, cansancio, dolores musculares, anorexia, insomnio, sudores. Cuando aparecen las parálisis, ya no quedan dudas, señora."

Parálisis musculares, colapsos respiratorios, atrofias, deformaciones, invalidez y por supuesto la muerte, habían sido los términos que todavía retumbaban en su memoria como los golpes ciegos de una bestia inhumana. La esperanza se concentraba en los esfuerzos de un médico llamado Salk que desde Estados Unidos procuraba —y allí habían tenido un presidente de la nación víctima del mal— producir una vacuna. "Lo están logrando —había enfatizado De Marco— pero mientras tanto solo caben medidas profilácticas elementales: higiene doméstica, evitar aglomeraciones, no estar en contacto con otros infectados y estar atentos a cualquier síntoma inquietante. En general, brazos y piernas son los más afectados. Lamentablemente la medicina está inerme ante esto y con suerte y adecuada fisioterapia es posible recuperar solo un bajo porcentaje de músculos."

El doctor De Marco no era pediatra y su especialidad era la ginecología. Era un hombre maduro, de maneras pausadas y un dejo italiano en su acento. B. lo había consultado por recomendación de los parientes montevideanos, de quienes era amigo. Había solicitado la entrevista y cuando De Marco esperaba oír sobre algún trastorno menstrual, ella lo indagó sobre la epidemia. Inmediatamente se sintió torpe, acorralada. Pero De Marco fue comprensivo, casi indulgente, por más que —como le advirtió— no se sentía con autoridad suficiente para hablar del tema. Sólo se limitó a aconsejarla y a nombrarle un par de colegas que podrían instruirla mejor. Cuando se despidieron, B. estaba aterrada y solo quería abrazar a sus hijos y seguir huyendo. Cuando salió a la calle, el titular de un diario la hundió aun más en el pánico:

YA SON 287 LOS CASOS DE EPIDEMIA.
EL MINISTRO DE SALUD PÚBLICA
PIDE CALMA A LA POBLACIÓN

También la habían impresionado las expresiones "pulmón de acero" y "colecta popular de ayuda".

Ahora su sentimiento es otro: desde una remota región de sí misma una turbadora sensación se abre paso. Ha llegado hasta allí —y en ese momento lo comprende— solo para sentirse ajena a todo cuanto tenía hasta entonces: educación, sentimientos, fidelidades, renuncias. Todos los riesgos asumidos por ella y sus hijos y el significado último de la huida y el exilio carecen de sentido salvo por un solo motivo: A.

Se habían conocido por casualidad —solo después iba a comprender que esa palabra era una explicación muy pobre para algo tan complejo— en una confitería de la avenida 18 de Julio, un bar estilo americano, con asientos tapizados tipo vagón de tren, separados por una mesa forrada de aluminio. A la entrada se retiraba una hoja con cifras progresivamente crecientes para ser marcadas por los mozos que llevaban los pedidos. A la salida la hoja se presentaba al cajero y se abonaba el monto de la última cifra marcada. Por distracción, B. no había solicitado su hoja y por tanto el empleado se negaba a servirla.

Tome, use la mía, había dicho A., que había consumido sólo un café. Yo le pago esto y usted lo suyo.

Él estaba sentado justo detrás, porque los respaldos de los asientos estaban unidos. Había escuchado el tono obstinado y perentorio del mozo, insolente y desconsiderado. Tal vez ella debió levantarse y recorrer todo el pasillo del bar hasta la salida para solicitar la bendita papeleta. Pero en su indecisión había como un desamparo o la impotencia de no hacer otra cosa que quedarse allí sentada mientras el empleado insistía con la formalidad, humilládola porque sí y ufanándose por la aplicación de un sistema que determinaba que nadie pudiera irse del lugar sin pagar. Pero el desconocido la rescató con su gesto amable y el mozo tuvo que servirle por fin el cortado y las medialunas.

Después siguió una media conversación entre ambos, inevitablemente de espaldas, hablándose de soslayo sobre lo grosero del empleado y el estado del tiempo. Hasta que A. se levantó y sin pedir permiso se sentó frente a ella.

Si vamos a conversar, es preferible vernos, dijo, con una expresión honesta, bondadosa.

B. recuerda esa primera vez que vio su cara angulosa y sus ojos negros y almendrados, el pelo castaño lacio, corto y peinado hacia atrás. Por alguna razón, le pareció esa la primera cara confiable que miraba en la nueva ciudad. O tal vez, se trataba de la primera persona que al hablarle ignoraba que ella estaba huyendo, separada de su esposo y a cargo por entero de dos hijos pequeños que sin pausas se quejaban, extrañaban y reclamaban volver a su hogar. Esa mañana los había dejado en casa de una parienta, mientras buscaba un departamento para alquilar y así poder abandonar el hotel, antiguo e inadecuado para los niños.

Había entrado en la confitería para darse tregua y pensar, establecer una pausa luego de días de complejas decisiones. La primera: admitir que la otra ciudad era un lugar peligroso para los disidentes del régimen, en especial para su esposo, un periodista que había sido capaz de escribir lo que no debía escribirse y mucho menos firmarlo en *La Prensa*. Así, antes de que el diario fuera definitivamente clausurado y luego expropiado por el gobierno, un buen día empezaron las amenazas telefónicas y los poco sutiles seguimientos, el allanamiento intimidatorio del departamento de la calle Talcahuano y el incendio deliberado del automóvil del periodista. Probablemente esa era la antesala de la prisión o tal vez del asesinato. No podían seguir viviendo en ese lugar pesadillezco que, según su marido, estaba gobernado por una pandilla de corruptos. Pero cuando ella creyó que iban a irse todos, él eligió quedarse. Primero estaban sus ideas y la necesidad de colaborar con una posible conspiración que derrocase al Presidente, después estaban ella y sus hijos. A partir de ese orden de prioridades, su esposo había actuado con rapidez y el viaje a la otra banda se impuso, quizá como una alternativa más de su estrategia política. De nada habían servido las consideraciones de B. proponiendo irse al norte, a la casa de sus padres en la provincia de las sierras. Enfrente estarás más cerca, había argumentado el periodista, quien nunca había hecho buenas migas con sus suegros. En todo caso la había dejado al margen, asumiendo que la única alternativa de su esposa era obedecer y aguardar en sitio seguro.

Sin tener razón alguna para hacerlo y dejando de lado lo convenido con su esposo, aquella mañana B. se sinceró con el desconocido. Era como un dique que al desbordarse dejaba a las aguas invadirlo todo, inundando las zonas alejadas y remotas de una comarca seca y por años olvidada de la humedad. La angustia que había estado reprimida por la máscara de la abnegación, afloró con impudicia ante la mirada de A., quien escuchaba el relato de la desconocida con la compostura de un sacerdote que, ante un autor de terribles pecados, es capaz de mantener el gesto afable y la palabra comprensiva a flor de labios.

Después habían caminado en un mediodía tibio y soleado, bajando hacia el mar por la calle Ibicuy, sin más intención que prolongar la charla de la confitería con el pretexto de mirarse e ir descubriendo en el rito de los ojos que se encuentran un destello nuevo y una luminosidad distinta.

¿Y usted qué hace?, había preguntado B., reparando en que A. nada había dicho sobre sí.

Todo había comenzado con un café —puede recordar A.—, la simple circunstancia de elegir un lugar al azar y sentarse porque sí a no hacer nada, demorándose ante el pocillo recién servido e ir desenvolviendo el paquetito con los panes de azúcar Rausa que ha de mojar, primero uno, sin dejar que se hunda, viendo cómo el blanco se va tiñendo de marrón, y luego sí, soltarlo hasta que desaparece bajo la espuma para repetir luego la operación con el otro, con idéntica prolijidad y esmero, porque un artista como él dispone de todo el tiempo del mundo para experimentar con el azúcar y el café en todos los bares y confiterías de la principal avenida de la ciudad.

Fue así que la vio llegar, entre el primero y el segundo terrón, atravesando el largo salón semivacío de la confitería. Tenía una cadencia vacilante su andar, una imperceptible duda precediendo cada paso, como si una mano invisible quisiera retenerla o retrasar su avance. La pudo contemplar, apenas un instante, a una distancia que le permitió observar su rostro pálido y su pelo suelto y anacrónico para la moda de esa primavera. Tal vez ella lo miró, en ese breve segundo en que pasó junto a él y se sentó en la mesa contigua, justo con el respaldo del asiento enterizo —como el de un vagón comedor— apoyado en sentido opuesto al de él de manera tal que ambos quedaron de espaldas. La duración de esa mirada, casual e inevitable como las que se producen en un ascensor, fue suficiente para que él se distrajera y el segundo terrón se embebiese demasiado de café y las yemas de los dedos se le mojasen con el líquido caliente y azucarado.

Me quemé, piensa ahora, descubriendo en ese detalle nimio una clave para definir lo que iba a sobrevenir después, en los instantes posteriores a las primeras palabras que surgieron por su facilidad para involucrarse en causas perdidas. ¿Fue aquel mozo impertinente el que a la postre determinó que se conocieran? A. sonríe para nadie o para el A. de entonces, que ignoraba las consecuencias de una simple actitud amistosa.

Consulta su reloj y mira en torno: no conoce a nadie y piensa que quizá no regrese jamás a ese lugar. Está allí para siempre —porque luego va a recordar con minuciosa precisión cada paso dado en esa ciudad, cada cosa vista, cada olor indescriptible, cada reflejo del sol y todos los sonidos, aun los despreciables como el de la máquina de café exprés o el de la cisterna del baño del bar— y sin embargo nada de lo que hay allí va a pertenecerle. Faltan menos de dos horas para el encuentro con B.

Desde la calle le llegan imágenes anodinas: autos muy viejos circulando con lentitud, personas que conversan brevemente y se saludan. A través de la ventana, todo se le antoja como un simulacro de vida, una representación preparada para él y su espera, para distraer los minutos y prolongar la lógica de los hechos. En realidad todo ha quedado en un suspenso precario desde la llamada del día anterior, cuando la voz queda y remota de B. propuso la cita y el lugar. En general, era ella la que indicaba dónde y cuándo, porque ella era la comprometida. Él se limitaba a aceptar, sin sugerir cambios ni exigir más de lo que se le ofrecía. Acaso la primera cita luego de conocerse tuvo origen en su iniciativa, porque B. iba a despedirse sin más luego de la caminata, urgida por hijos y algo arrepentida tras haberse desahogado con un desconocido.

Y usted, ¿qué hace?, le había preguntado, en un impulso final, tirando el cabo que él necesitaba para asirla e impedir que todo se esfumase en la distancia.

Me gustaría mucho contarle, pero usted está apurada y la comprendo. Tal vez si nos viéramos otro día, otro café y otra caminata como esta...

B. no respondió y por un momento dudó en aceptar el ofrecimiento. La mirada de A. fue anhelante, diáfana, honesta. No expresaba una súplica, apenas la tímida esperanza de volver a verla. Finalmente, ella aceptó:

Está bien, estoy en el Hotel Alhambra. Llámeme mañana.

La vio alejarse con la sensación de haber descubierto un sentimiento que hasta entonces no había podido manifestarse. Era algo que lo confundía porque le invadía la ilusión y a la vez el miedo. Miedo de no volver a verla e ilusión de volver a hacerlo.

Cuando regresó a su casa fue directamente al estudio. Vivía con su madre y su tío, pero su verdadero hogar era la habitación del fondo, amplia y luminosa, con el ventanal orientado al norte y la vista del jardín y la iglesia de los Carmelitas fundidos en una única imagen que parecía un recuerdo anticipado de París. Allí podía dedicarse a sus trabajos de diseño gráfico para imprentas, pintar, escuchar sus discos de jazz o leer libros sobre arte. Ahora sabía que también podría pensar en B. y medir cada día en función de los encuentros que habían comenzado.

Lo primero que hizo esa tarde fue preparar un bastidor con tela, fondearlo de blanco y cubrirlo luego de sucesivas manchas de añil, de lila, de ocres y dorados. En realidad quería reproducir la mirada de B. y el aleteo de sus párpados, la boca sensual y la frente luminosa, el cuello pálido y esbelto y el pelo rubio y lacio, moviéndose con una cadencia inaprehensible, como si tuviera autonomía del resto de la cabeza. Pero quería hacerlo de una manera no figurativa o, mejor dicho, a la manera de la pintura japonesa *sumi-e*, trazada con un pincel muy cargado de líquido sobre un papel de arroz sumamente delgado y absorbente, de manera tal que el tiempo permitido para la inspiración y la ejecución es tan breve, tan efímera la oportunidad que el artista sólo se vale de la espontaneidad más leve y de la destreza del instante.

No era un buen retratista ni aspiraba a serlo, era apenas —como le gustaba definirse— un buscador dentro de la tela y de sí mismo. Incapaz de dibujar a B., A. fatigó el lienzo con trazos breves y cargados de color, hasta comprobar que era torpe y que todo lo que había pintado hasta entonces carecía de luz, de vida, de sentido. De pronto, lo que lo rodeaba perdió por completo su significado. Los cuadros, extraños púgiles envueltos en la negrura mientras arrojan golpes ciegos, diseminados sin orden por el amplio atelier, eran simples manchas ajenas a su capacidad de entendimiento; los muebles, escasos y severos, objetos anómalos de un universo distante. Entre sus dedos, el pincel era una extraña versión de lo inútil. Quizá entonces supo lo que el maestro había querido decirle años atrás: la angustia o el dolor, o cualquier emoción violenta que domina al artista, no son salvoconductos hacia el talento. Pero lejos de sentirse abatido, templó su ánimo la posibilidad del día siguiente, de la llamada pactada.

Por la noche, tras permanecer horas pensando en B., salió a caminar por las calles tranquilas del barrio y bajo el cielo estrellado se sintió humilde y feliz. Para expresar ese sentimiento silbó una vieja canción de Agustín Lara y arrancó flores de los jardines. Su año de gracia había comenzado.

Ahora B. duda entre el vestido amplio de *zephir* estampado o la pollera tableada de tweed marrón con el pulóver beige. Se maravilla de que en circunstancias como las que vive pueda tener ánimo para los detalles coquetos, plantearse siquiera la posibilidad de sentirse bien a partir de la elección del vestuario. Pero es precisamente esa futilidad la que la salva de volver a gritar, ovillándose en la cama con la sensación de estar cayendo en un abismo insondable.

Finalmente opta por los pantalones amplios y pinzados de franela gris, la blusa escocesa y el sacón de lana azul. Por alguna razón vincula esa combinación a días felices en otra primavera, hay algo de fetichismo en la decisión, como si pantalón, blusa y saco fueran a operar el milagro de detener el tiempo.

Se mira en la luna del ropero y se descubre inmaterial, difusa, a punto de ser tragada por una negrura que —en ese momento lo comprende— ha estado formándose dentro de ella en todo ese año transcurrido, una oscuridad silenciosa que tal vez la asfixie si no sale rápidamente del cuarto y corre hacia la luz de la mañana con el pretexto de ver dónde están los niños. Aún falta más de una hora y media para la cita, pero el nudo en el estómago ya le produce náuseas.

Intenta controlarse y camina con decisión hacia el galpón donde se guarda la camioneta. El paisaje circundante es verde, soleado y monótono. A una cuadra de la casa el ganado lechero pasta en corrales y más lejos unos peones azuzan sus pingos persiguiendo a dos terneros para enlazarlos. Los gritos y las risas de Manuel y Angélica la rescatan de su deambular absorto. Están junto al capataz que gasta bromas a los peones que han estado fracasando en la captura. Enseguida comprende que todo es una representación para diversión de sus hijos, otra forma de la hospitalidad de esa gente simple y trabajadora.

¿Sale para el pueblo, doña?

La voz del viejo Rosas le llegó amistosa, desde un rincón del galpón. Con paciencia, el hombre repara la rueda de una carretilla, sin importarle el olor a estiércol ni las moscas que le rodean.

B. y sus hijos habían llegado a la casa tres meses antes, cuando la epidemia parecía incontrolable en la capital. Durante el verano, con lenta progresión, la alarma había ido ganando a la población, porque las cifras de casos iban creciendo significativamente desde los primeros indicios de diciembre. Tras un breve paréntesis veraniego en que B. y sus hijos se trasladaron al este para reunirse con la familia venida desde Buenos Aires, cobró fuerza la idea de trasladarse al interior del país. Nada les aseguraba que allí el riesgo fuera menor, pero la posibilidad de aislarse en medio del campo era una manera de alejar el temor asordinado que se vivía en las calles de la ciudad. El periodista, desde la distancia del exilio, había hecho los contactos necesarios para que la familia Rosas, emparentada con la suya, se hiciera cargo de B. y los niños.

El dueño de casa y su mujer vivían allí desde hacía treinta años, explotando primero una granja y luego un tambo. Cuando B. se presentó no hicieron demasiadas preguntas, les bastaba que ella fuera la mujer de un sobrino lejano y en apuros. Rápidamente la instalaron en el amplio cuarto de huéspedes orientado al oeste, desde donde se ven los tilos y el camino que baja al arroyo.

¿Tiene nafta la Studebacker?

Hace días que no salgo, m´hija, pero voy a fijarme.

No se moleste, don Juan, yo lo hago. Tengo que ir al pueblo por cuadernos para Manuel. ¿Precisan algo?

Te llamaron ayer..., murmuró el viejo, sin dejar de trabajar en la rueda.

Los Rosas eran discretos y en esos meses jamás habían indagado los motivos de B. para viajar a la capital. Aceptaban sin molestia alguna hacerse cargo de los niños en las horas de ausencia de la madre, porque ese cuidado les restituía la infancia de sus hijos ya crecidos y alejados: uno trabajando en la represa de Rincón del Bonete y el otro instalado como comerciante en la frontera norte. Por eso, la pregunta de Juan Rosas tomó a B. desprevenida.

Sí... nadie importante, un conocido de la ciudad.

Rosas interrumpió la tarea en la rueda y suspiró. Era un hombre generalmente amable, pero parco, poco entregado a palabras innecesarias.

¿Escuchaste el noticioso? —dijo con interés. Todas las mañanas a las seis, antes de salir a trabajar, tomaba unos mates escuchando en su vieja radio Blaupunkt las noticias que llegaban desde la capital. Estaba tan informado como un ministro y era capaz de interpretar lo que sucedía, porque —como él decía— no había vivido en vano. También leía todos los diarios que podía. Ahora la revolución, que había estallado al otro lado de la frontera, se erigía en el suceso principal de esa jornada. Hacía un par de días que el levantamiento se había iniciado en las provincias del norte y esa madrugada había ido ganando puntos estratégicos de Buenos Aires. "Es un hecho la renuncia del Presidente", repetían a viva voz los locutores que interrumpían a cada momento la difusión de otras noticias para aportar nuevos datos sobre lo que iba a conocerse como la "Revolución Libertadora". Y Juan Rosas había escuchado todo con la atención habitual, sin alterar el prolijo ceremonial de cada mate, sabiendo que los días de B. con ellos estaban terminándose.

También escuché los aviones, ¿van a pelear también aquí?, dijo B. con un tono sombrío, inadecuado para un hecho que determinaba la liberación de su marido.

Precauciones, un poco de aspaviento, porque los tiros están ahí nomás. También movilizaron la Infantería.

Finalmente el viejo se animó y preguntó:

Y tu marido, ¿qué se sabe de él?

B. no respondió. Apenas ensayó un gesto que pretendía ser de ignorancia pero que solo podía interpretarse como de impotencia. De pronto se sintió muy cansada y sin voluntad alguna de manejar treinta quilómetros hasta el pueblo.

Afuera, las risas de sus hijos se acercaban.

Desde la ventana pudo ver el cortejo, caminando con lentitud con un sacerdote al frente. Detrás de este, una pareja abrazada y sollozante: la mujer joven, pequeña, delgada y encorvada por la desgracia; el hombre algo mayor, también flaco y con la piel oscura, curtida por los días o el trabajo a la intemperie. Les seguía un grupo de parientes o amigos que transportaban un pequeño ataúd de madera blanca, sin lujos de construcción, adornado apenas con un ramo de claveles blancos naturales apoyado en la tapa. Más lejos, dos empleados de la funeraria cerraban la marcha, vestidos de gris y con lentes negros, perfectamente serenos y aplomados. Mientras avanzaban, el llanto de la mujer se enronquecía y amenazaba con transformarse en un grito que estallaría en la mañana.

A. apuró el resto del café y volvió a lamentarse por no haber pedido una caña. Era probable que el niño hubiera muerto por la epidemia, con lo que la presunta seguridad del lugar se desbarataba. Estamos rodeados, dijo en voz alta, sin saber a quiénes se refería y asumiendo que la amenaza también incluía aviones volando bajo y gente desconocida y aparentemente inofensiva como el vecino de la ventana.

Cuando el cortejo ya se había alejado, decidió pagar y abandonar el boliche.

Otra vez caminó sin rumbo, procurando no pensar en nada, como si la posibilidad de recordar pudiera ser interrumpida por la voluntad. El pueblo le pareció elemental, agobiante en su simpleza. Al llegar a una esquina creyó ver a un conocido, lo que le produjo un mayor desasosiego. Era imposible concebir que allí pudiera conocer a alguien, pero desde la vereda de enfrente un individuo lo observaba y sonreía: un hombre bajo, gordo y de edad indefinida que fruncía su rostro bajo el sol en una mueca complaciente. Con alivio descubrió que no lo conocía, pero que le recordaba a un viejo profesor de dibujo. Aun así, ¿por qué razón lo miraba y amenazaba cruzar la calle para saludarlo? Sin duda el confundido era el otro, lo que no dejaba de ser una doble casualidad, absurda y sin sentido. Ante la inminencia del acercamiento del hombre, A. aceleró su paso y se alejó con la urgencia que solo justifica el peligro.

Pronto estuvo corriendo, incapaz de detenerse hasta la tercera cuadra. Agitado, se recostó en un viejo muro y miró hacia donde se suponía estaría el hombre: había desaparecido y sólo vio la calle recta y apacible, por la que diez minutos antes había transitado el cortejo.

El profesor parecido al hombre de la calle se llamaba Vasena y le había enseñado a dibujar a la carbonilla. Podía recordar sus manos regordetas y sucias moviéndose con rapidez sobre el papel Canson, sus dedos que tocaban aquí y allá los trazos y los borroneaban y extendían, creando formas y volúmenes que luego serían rostros, cielos, extensiones de mar encrespado o bosques. Siempre le había maravillado que ese hombre de aspecto ordinario y desaliñado tuviera tal sensibilidad para crear rápidamente sobre la superficie blanca. Apasionado por Rembrandt, le aconsejaba contemplar, al menos una vez por día, reproducciones de sus dibujos y aguafuertes, en especial el *Autorretrato como vagabundo* y el sexto estado de *Cristo presentado al pueblo*. Consideraba que allí, en esos dibujos impecablemente ejecutados, estaba la esencia del genio, mucho más que en los indiscutibles óleos. Allí se ve al dibujante —le explicaba— y su capacidad de reproducir la figura y sus contornos, los movimientos y volúmenes plasmados en blanco y negro, el gesto, apenas definido por un simple toque de la pluma.

¿Por qué estoy huyendo de Vasena? —se dijo, perplejo y abrumado por una súbita vergüenza. Y una idea todavía más inquietante se instaló en su mente: no se parecía a Vasena, era Vasena. ¿Cuánto hacía que no lo veía? Él era un niño cuando asistía a sus cursos en la Comisión Fomento del barrio. Deslumbrado por los dibujos de un artista llamado Fossey reproducidos en un almanaque, había descubierto en el lápiz una peculiar forma de expresión, de ahí que sus padres lo enviaran con Vasena, amigo de su tío Esteban.

No pudo haberme reconocido, ya pasaron muchos años.

Confundido, decidió volver sobre sus pasos para buscar al hombre que era o se parecía al profesor.

Sentada al volante, no se decidía a encender el motor. Le había costado convencer a los niños de que no la acompañaran, sobre todo a Angélica, que pese a ser la más pequeña era la que más extrañaba. Para que se quedaran les prometió caramelos y revistas de historietas. De alguna manera eso le pareció un engaño más, tal vez el último, pero no por ello menos grave.

Finalmente, giró la llave de contacto y oprimió el botón de arranque. La Studebacker se sacudió, tosió varias veces y luego el motor quedó moderando con ritmo parejo. Lentamente, salió del galpón y rodeó la casa para tomar el camino hacia la tranquera principal.

Hasta ese momento, no había querido pensar en A. como el hombre con quien iba a encontrarse. Desde la madrugada, lo había pensado en pasado, como parte de una lejanía que solo se dilataba en su memoria. Había recordado sus manos, delgadas y de dedos finos y alargados, admitiendo que era lo primero que le había atraído de él. El cuidado con que desenvolvía los panes de azúcar y luego los iba sumergiendo en el café o la peculiar forma de alisar la servilleta de papel mientras hablaba. Era el idioma de sus manos un código a descifrar y un itinerario a seguir, como las manos de un ilusionista son la esencia de este al realizar el truco que los ojos son incapaces de descubrir. Ella miraba las

manos de A. y se internaba en un laberinto de mí-
nimas dimensiones pero tan vasto como inabarcable. Cuando esas manos un día la tocaron, aprendió
a disfrutar también su tibieza, su tacto suave y jamás húmedo —detestaba las manos húmedas o con
atisbos de transpiración—, su capacidad para tras-
mitir el sentimiento solo con rozarla. También supo
que las manos de A. eran lo opuesto a las manos de
su esposo, siempre animadas con un asomo de humedad, de transpiración latente y también de violencia contenida. Aun en las caricias, esas manos
podían inquietarla porque remotamente las vinculaba a una actitud animal, a la posibilidad de que en
una metamorfosis súbita se transformaran en objetos agresivos, deformes.

Ahora, mientras avanzaba por la carretera de
balasto, solitaria y recta, sentía que lo que más iba a
extrañar era la posibilidad de sentirse aprehendida
—era ese el término— por las manos de A., unas
manos que habían fallado en el intento de dibujarla, pero que habían sido expertas en el arte del descubrimiento de sí misma a través de él. Toda su piel
se había puesto del revés, a partir de la unción con
que los dedos de A. la recorrían: con la minuciosi-
dad de un ciego que solo dispone de su tacto para
reconocer y orientarse.

Sobre el volante, sus manos estaban frías,
pálidas y con el descuido que esos meses en el campo habían producido. Había lavado ropa y carpido
la tierra de la quinta. Le habían enseñado a ordeñar
en madrugadas de frío cortante y había apilado le-
ña junto al horno de pan. Poco a poco, sus dedos
acostumbrados a cremas hidratantes o al teclado del
Steinway de su casa paterna, se habían vuelto áspe-

ros y rugosos, perforados por astillas o arañados por malezas. Sus uñas, antes largas, perfectamente limadas y pintadas, ahora eran cortas y nada femeninas. ¿Había notado A. el cambio? ¿Lo había notado ella?

Pero ese cambio de sus manos apenas si indicaba otros más profundos, un desgaste del alma en vivencias que luego la memoria tendría que suprimir. Dentro de poco iba a reencontrarse con el padre de sus hijos para asumir nuevamente el rol de esposa ejemplar en ese tiempo de lejanías. Se le había pedido que cuidase y mantuviese vivo el sentimiento de familia, aun en el exilio. Se le había pedido también dignidad y militancia cristiana, expresada cada domingo en la misa, en la oración por el marido preso, en el rezo por la patria violentada por alguien capaz de mandar a quemar iglesias.

Y sin embargo, nada de eso era cierto: había sobrevivido gracias a A.

Ahora iba a decirle adiós, hasta aquí llegamos. El tiempo ha comenzado a correr otra vez.

Tras una curva prolongada, detuvo la camioneta bajo unos álamos junto al camino y segura de estar completamente sola, se entregó otra vez al llanto.

10

Luego del primer encuentro habían sobrevenido otros, siempre marcados por la impronta de una formalidad que, en el caso de B. era como un caparazón que parecía protegerla de sí misma. La confitería Americana, el hall del edificio del Correo, la Plaza Matriz en un día soleado: las citas eran breves y acechadas por horarios dedicados a los niños. Las conversaciones eran como elipses lentas que iban aproximándolos, pero sin animarse demasiado a indagar a fondo sobre lo que habían comenzado a sentir.

A. era capaz de decir:

La política nunca me interesó demasiado y menos la de los vecinos, pero desde una perspectiva egoísta, gracias a ella está aquí. Pienso que su marido debe estar loco por haberla dejado venir.

Era una afirmación absolutamente torpe que inmediatamente promovía el arrepentimiento, la sensación de estar expresándose como un miserable. No obstante, lejos de ofenderse, B. le respondía con un encendido rubor de mejillas y una mirada anhelante detrás del gesto circunspecto y el silencio que pretendía ignorar la alusión pero que en realidad la alentaba. El aspirante a pintor observaba esa reacción con secreto estremecimiento, jugueteando con el papel de los pancitos de azúcar, y tanteaba el terreno para un nuevo avance:

Si le digo esto es porque aspiro a ser su protector mientras dure esta situación. No me pregunte qué méritos tengo para merecerlo: sé que apenas nos conocemos y que usted no puede permitirse la debilidad de confiar en un desconocido. Pero yo no voy a defraudarla.

Sin dejar de mirar su taza de té y en un inexplicable arrebato de inconsciencia, ella asentía con un temblor de labios, como si amenazase llorar, pero luego sonreía y A. quedaba sin palabras, seguro en el nuevo territorio que había conquistado.

Cuando se despedían, tenían la sensación de que la conversación había sido tan breve como la que podía desarrollarse en un corto viaje de ómnibus. Siempre quedaban temas pendientes, interrogantes a develar, esbozos de pensamientos que no se habían animado a expresar. El peso de lo no dicho se desplomaba sobre ambos mientras se alejaban en direcciones opuestas, saludándose con un gesto breve y apresurado.

Estoy yendo en contra de mis convicciones, de mi educación, hasta de lo que yo había creído siempre sobre mí misma, admitió por fin una tarde B., mientras caminaban junto al lago del Parque Rodó, rodeados de palomas y de las risas de unas parejas que remaban. Ya se tuteaban y A. la había tomado de la mano sin que ella se resistiese. Él había faltado a su empleo y ella disponía de una hora antes de ir a buscar a Manuel a lo de la maestra particular. Era un tiempo clandestino el que habitaban y un parque público no era el mejor lugar para abundar en revelaciones. No obstante el abrazo fue inevitable, aunque esa vez no se besaron. Bastó con sentirse próximos, extraviados, buscando a tientas algo que todavía era indefinido pero inexorable.

11

El hombre que se parecía o era Vasena había desaparecido y A. se sintió sin fuerzas para desandar las cuadras. Consultó su reloj y quedó confundido: enseguida comprobó que atrasaba o que, por alguna razón vinculada a la ansiedad, el tiempo podía estar desgranándose con otra secuencia, tal vez menos evidente. Cruzó la calle y dobló en la primera esquina por una callejuela empedrada que parecía trepar hacia el centro de la ciudad.

Un nuevo trueno de aviones lejanos se desplomó sobre la mañana y sacó a A. de su ensimismamiento. Ahora tenía la certeza de que el pueblo no era simplemente una parada eventual para los trenes o el asentamiento de familias laboriosas que muy atrás en el pasado habían huido de diferencias religiosas desde tierras allende el océano. Tampoco podía significar solamente un lugar para el encuentro con B. Bajo la mañana soleada y apacible, sin poder explicarse claramente el porqué, sintió otra vez el ominoso miedo trepando por sus piernas con un hormigueo ciego y paralizante: ¿encontraría a B.? Entonces recordó el mecanismo de una asombrosa paradoja relatada por un escritor, un argentino llamado Borges, que era o había sido director de la Biblioteca Nacional. Evocó el título del libro, *Discusión*, de formato pequeño y hojas amarillentas, descubierto por casualidad en la casa de un profesor de literatura amigo. Uno de los textos de aquel libro extraño y erudito refería a la perpetua carrera de Aquiles y la tortuga y a la paradoja inventada por Zenón de Elea. Según esta, el movimiento no existe, porque el veloz Aquiles no podrá alcanzar jamás a la perezosa tortuga. En una hipotética carrera en la que Aquiles le dé a la tortuga diez metros de ventaja por ser diez veces más veloz, nunca podrá llegar a igualarla y superarla, porque mientras el héroe corre esos diez metros, la tortuga correrá uno; en tanto Aquiles corre ese metro, la tortuga avanza un decímetro; luego Aquiles correrá ese decímetro mientras la tortuga se desplaza un milímetro más, y así hasta el infinito. Para A. era inquietante pretender anular el movimiento a partir de su descomposición en etapas o segmentos sucesivos.

Pero esa extraña fábula no puede consolarlo y solo le sirve para angustiarlo con la visión de un páramo vacío y mineral en el que dos figuras derivan. Un paisaje abstracto y cegador cuyos únicos habitantes son meros puntos geométricos, huellas, rastros que el viento va borrando.

12

Ya desahogada, encendió el motor y retomó el camino. Ahora necesitaba ordenar su mente para la conversación que habría de mantener con A. Era probable que no se animase a referirle lo esencial: que en pocos días debería regresar a su país porque su esposo, junto con cientos de ciudadanos más, había recuperado su libertad. La pesadilla, para los que la esperaban del otro lado del río, había cesado y a partir de la caída del gobierno, unas familias habrían de reunirse mientras —paradójicamente— otras se separaban. La Historia con mayúscula —como acostumbraba a llamarla A.— gobernaba otra vez los destinos y en ese instante, tal vez, desde algún pequeño puerto de la otra orilla, otra B. estaría dejando a alguien tras de sí.

El destino es una noción inventada por el ser humano para aprender a resignarse, le había dicho A., quien una vez había creído y ya no creía, o simplemente se había desinteresado del tema, asumiendo el difuso ateísmo tan común entre la clase media a la que pertenecía. Hacía extensivo el razonamiento también hacia Dios, apelando al materialismo más burdo.

Por educación y creencia, ella no admitía lo último, porque en definitiva era negar la responsabilidad de cada uno ante los designios del ser superior. No existía la resignación, sí la aceptación de lo que Dios había puesto en nuestro camino, dotándonos, además, del libre albedrío. Resignarse es concluir en que nada de lo que nos sucede tiene sentido y que nada de lo que hagamos va a ser valorado, juzgado de acuerdo a principios. En ese punto, los argumentos de B. eran desbaratados por la mansa ternura de A., capaz de jugar al hereje con el sutil arte de sus caricias y el desbocado rito de la pasión.

Sobre la devastación interior que sobrevenía con los hechos, él instalaba lo efímero de cada tarde breve y su mirada de pintor sustituía a la del amante, como esta lo había hecho con la del amigo solícito. La miraba sin juzgarla y sin exigirle otra entrega que la del silencio, mientras él se atrincheraba en el suyo, abismal y absorto, como si indagara en su cuerpo agradecido las razones últimas y el incierto futuro.

Bajo esa mirada, de ninguna manera B. se sentía culpable. Solo después, en las horas que sobrevenían a la inevitable despedida, empezaba a experimentar un doloroso vacío que poco a poco iba llenándose de remordimiento. Al comienzo, cuando la relación con A. la había encandilado como a una adolescente, podía manejar el rencor hacia un esposo que había preferido los principios a la defensa de la unidad familiar. Ese sentimiento la absolvía y equiparaba, le permitía al menos la justificación por el abandono al que había sido sometida. Era probable que el periodista que había sido capaz de investigar y denunciar el secuestro y tortura por parte de la policía del estudiante comunista Bravo en los albores de la década, el lúcido cronista del deterioro moral del régimen de gobierno o el intransigente defensor de la libertad de prensa, no necesariamente fuera el marido enamorado y el padre tierno que B. había soñado para su vida. Su prosa brillante en las crónicas no había producido cartas ni mensajes que alentaran el amor ni mitigaran la espera. Los suyos eran unos párrafos breves, desolados y lacónicos, como cargados de dudas y reticencias.

Ante esa aparente indiferencia, ella solo podía asumir una máscara de abnegación y dulzura para sus hijos y en especial frente a los que estaban ayudándola . Pero sólo A. era capaz de traspasar esa actitud y descubrir a la B. del rencor.

13

El marido de B. fue detenido y encarcelado un frío sábado de junio, luego de la procesión del Corpus Christi. Si bien él no era un católico practicante, la coyuntura política había encontrado en el anticlericalismo del gobierno un factor que habría de encender el clima de protesta. Así, la fiesta religiosa se había transformado en un encendido mitin de la oposición, con una multitud agitando sus pañuelos en señal de repudio y hartazgo por los excesos del poder. Solo que el periodista, además, había sido acusado de arrancar plaquetas que honraban la memoria de la difunta esposa del Presidente, colocadas en paredes exteriores al Congreso. Él negó su participación en esos actos, pero testimonios falsos determinaron su culpabilidad.

Desde entonces, las cartas prácticamente se redujeron a brevísimas esquelas que se filtraban entre la maraña de custodios, censuras y requisas que pretendían silenciar las voces cautivas. No obstante, en su encierro de la Penitenciaría Nacional, su esposo había recuperado su dimensión íntima y familiar: admitía en parte su error y lamentaba no haber sido lo suficientemente lúcido como para haber luchado desde territorio seguro. De hecho, una emisora montevideana que tenazmente se oponía al gobierno de su país le había ofrecido un puesto en su departamento de informativos cuando la tarea de corresponsal se había vuelto peligrosa. Pero él había preferido el combate frontal, enfrentar sólo con sus principios al poder intolerante.

Su esposo es un ególatra, se había animado a sentenciar A. en una de las primeras conversaciones embebidas de sinceridad. También es un idealista, había respondido B., orgullosa y confundida, porque pese al abandono no podía rebajar las intenciones del periodista. En todo caso, es alguien que prefiere el riesgo, la posibilidad de trabajar para la Historia, antes que un anónimo exilio junto a usted. La réplica de A. no había tenido una intención hiriente, apenas si expresaba un razonamiento lógico a la luz de los hechos, pero a B. le había parecido una cachetada brutal. Alguien que recién conocía era capaz de señalarle la distancia que existía entre razón y sentimientos y conducirla por uno nuevo y doloroso: el despecho. Pero al asomar este, no podía evitar la sensación de ser ella una traidora. Podía compararse —y ello le resultaba siempre turbador— con la mujer que hasta unos años atrás había representado todo lo que ellos despreciaban, la mujer ordinaria e inculta que cubierta de pieles y joyas había ingresado —enfermedad y muerte mediante— en el ilimitado territorio de la memoria y de la inmortalidad. Esa mujer —así la invocaban sus enemigos— había sido capaz de decir delante de una multitud, con las pocas fuerzas que le quedaban, que solo le pedía a Dios que no permitiera a los insensatos levantar la mano contra su marido. Y había agregado, desafiante, feroz, con los estragos del cáncer quebrándole la voz, que si ese día llegaba ella habría de levantarse junto al pueblo trabajador, sus amados "descamisados" —término que a B. le sonaba amenazante— para no dejar "ladrillo sobre ladrillo". En cambio ella no solo no había sido capaz de defender a su marido sino que le fallaba cuando más indefenso estaba.

Con la mirada perdida en el camino y su monótona geografía, B. sintió, por primera vez en muchos meses, la liviandad de no pertenecer más al tiempo de la espera. Otra vez la Historia se imponía y los mecanismos del orden volvían a funcionar. Con su esposo liberado se instalaba otra vez el imperio de la normalidad, el reencuentro de la familia y el regreso a los antiguos rituales de lo cotidiano. Con esa misma liviandad, esa conciencia de deslizarse hacia atrás sin posibilidades de sujeción al presente se iniciaba —y en ese momento tomó plena certeza de ese comienzo— el tiempo del vacío, que no era cronológico ya que solo podía medirse por la ausencia, la renuncia a una parte de su ser. Y sin embargo, asumiendo ese vacío su vida habría de continuar, ya sin fisuras ni abismos, por la senda permitida y verdadera.

14

Mientras se alejaba del centro del pueblo eligiendo bajar por el declive de la calle hacia la costa del río —todavía faltaba más de una hora para la cita y necesitaba un poco de aire fresco—, A. pensó por primera vez en el encuentro como el último que tendrían. Antes, en las horas posteriores a la llamada que proponía la cita y aun durante el viaje en tren, apenas si había vislumbrado esa posibilidad, siempre latente desde que se habían conocido. Su mente se había negado a considerar los indicios: los imperceptibles quiebres en la voz de B., la urgencia de fijar un encuentro fuera de la Capital —territorio más seguro y acaso neutral— la evidencia de una revolución que a medida que pasaban las horas estaba triunfando y que arrojaría al esposo otra vez junto a su familia. Además, se le imponía también la sensación de que en todos esos meses no había sido capaz de conquistar verdaderamente a B., que había dispuesto de todo para lograrlo pero no había dado la talla. Él, apenas un diletante de la vida, no podía ofrecerle otra cosa que sexo clandestino y consuelo incondicional a una mujer a quien por sobre otro sentimiento la dominaba el miedo.

Humildemente considero —le había confesado una vez a B.— que el miedo ha sido el motor del mundo. Esa noción extraña y casi patológica había sido elaborada a partir de la sensación de desamparo que le había producido la absurda muerte de su padre bajo un tranvía. De poco le había servido la comparación de esa tragedia con la del arquitecto catalán Antonio Gaudí, muerto en similares circunstancias. Celebró a Dios con una obra monumental, todavía inconclusa, le había dicho meses después del accidente su tío Esteban, no obstante la ciega fatalidad no se lo reconoció. Lejos de aliviar su pesar, esa similitud lo confirmó en el miedo: un genio o un humilde comerciante podían caer bajo las mismas ruedas, lo que probaba que había algo intrínsecamente perverso en lo fatal.

No te avergüences de sentirlo, le dijo a B. a propósito del miedo. En el fondo, todo lo que hacemos está originado en nuestra aprensión, en el temor. Sabía que proyectaba sus propios fantasmas en esas palabras y esa visión constreñida de la existencia se le había antojado una manera de aliviar la aflicción de B. precisamente fomentándosela.

Estaban en la confitería La Liguria, tras haber pasado dos horas en una casa de citas y B. miraba absorta el fondo de la taza de té vacía, incapaz de sustraerse a la sensación de haber llegado demasiado lejos en esa relación. A. jugaba con los pancitos de azúcar y medía el silencio que se dilataba luego de su sentencia. No era la primera vez que aparecía entre ambos ese atisbo de complicidad insana, esa necesidad de ella por entregarse a la culpa y establecer así el inmediato castigo al placer que momentos antes había vivido. En A., la sensación era otra: asumía su condición de mero instrumento del destino y se sabía manejado por fuerzas que, ciegas e innominadas, trascendían la peripecia individual y la responsabilidad personal. A su manera era, como el periodista, copartícipe de la Historia, aunque su rol era menor y despreciable. Estaba allí para que el heroísmo del marido cobrase una dimensión inmoladora. Entonces, insistía:

No quiero que sufras por esto, quiero que lo vivas hasta que se agote o hasta que el tiempo diga cuándo. No soy un oportunista ni vos una miserable. Lo que sentimos se nos ha impuesto, tal vez nos aguardaba y no lo sabíamos.

Inmediatamente se sentía vulgar, como si hubiera repetido una abominable línea de diálogo de un radioteatro de décima. La desazón lo invadía y el silencio volvía a unirlos, a involucrarlos en la culpa. Entonces, sin decirlo y sin ni siquiera insinuarlo, ambos añoraban el tiempo anterior a la pasión, el territorio del inicio de la relación, de los tanteos galantes de él y la aquiescencia tímida de ella, cuando se trataban de usted y ningún fantasma los atormentaba.

15

El primer encuentro íntimo fue una consecuencia de varios hechos fortuitos. Por unos días el tío y la madre de A. tuvieron que ausentarse de casa por motivos distintos. El tío Esteban debió viajar a Salto por los trámites de una sucesión mientras su hermana lo hizo a la cercana Minas, para pasar unos días en Villa Serrana invitada por la cuñada Gladys. Era verano y el Prado se había llenado de aromas, flores de estación y atardeceres lentos con el sol descomponiéndose entre los árboles de la calle 19 de Abril.

Un mediodía de sábado A. organizó una pequeña reunión con sus amigos pintores: Barcala, Díaz, Villamide. También asistió Perazzo, quien no era pintor y trabajaba en el Catastro, y Lerena, compañero del Nacional de Regatas. El pretexto era asar unas corvinas y prepararlas a la vasca, cosa que Lerena se jactaba de hacer con virtuosismo. El jardín de la casa incluía un parrillero cercano a la fresca sombra de un parral, lugar donde la sobremesa se prolongaría en interminables discusiones sobre pintura, deportes o política. Contraviniendo lo habitual en esas reuniones en las que rara vez concurrirían personas ajenas a ese círculo, A. invitó a B. con sus hijos.

Son gente muy amena —había prometido A.— y a los niños les va a gustar el jardín y las imitaciones de Perazzo. No hay nada de malo en almorzar con amigos, ¿verdad?

Ella había dudado, porque hasta entonces todos sus encuentros se habían cumplido en ocasiones fugaces y en lugares públicos. Sin embargo, la posibilidad de acceder al mundo de A. —una realidad hasta entonces remota y vislumbrada apenas en conversaciones— en una circunstancia socialmente aceptable y acompañada de sus hijos, terminó por convencerla. La alentó el tedio de esos días, la necesidad de sentirse menos abandonada, la ilusión de resolver su atracción por A. en una relación de amistad que pudiera manifestarse en público, en presencia de Angélica y Manuel. No había nada en contra de almorzar en la casa de alguien que le había ofrecido protegerla y ayudarla mientras estuviera lejos de su casa y sus afectos.

Así, la reunión había transcurrido en medio de una bonhomía condescendiente alentada por el anfitrión y sus amigos, todos locuaces y a la vez medidos en el trato, salvo Barcala, un poco distante y escudado en un tranquilo laconismo. De acuerdo a lo prometido, Perazzo había sido el centro de la atención de los niños. Les había imitado a Carlitos Chaplin y a Luis Sandrini y había improvisado títeres con la ayuda de trapos de cocina y unos ovillos de lana de la madre de A. Bajo la sombra del parral y escuchando la música de un tocadiscos lejano habían almorzado y transcurrido los postres sin decidirse a profundizar en conversación alguna, pero todos habían soslayado dos temas: el comienzo de la epidemia y la situación política del país limítrofe. Inclusive Díaz, quien simpatizaba con los justicialistas, se había abstenido de mentar sus logros, acaso porque B. le había inspirado una genuina idea de desprotección. En todo momento, A. había impuesto un tono de camaradería al trato, como si los galanteos previos hubieran cedido a una actitud solamente solícita y caballeresca. Con Manuel y Angélica había manejado una complicidad algo aparatosa y ese había sido el único indicio de incomodidad, de soterrada culpabilidad que B. pudo advertir. Hasta que una vez servido el café, A. propuso:

Si me acompañás arriba puedo mostrarte algunos secretos.

B. lo miró entre sorprendida e intrigada. De pronto el protocolo de lo previsible dejaba lugar a la improvisación, a los mecanismos del descubrimiento.

No sé de qué me hablas, atinó a decir, incapaz de aceptar o de negarse, mientras Perazzo acometía con su versión de Buster Keaton y las risas de los chicos los aislaban en un silencio de miradas levemente cómplices o desentendidas.

Algunos dibujos que ni siquiera estos críticos implacables han visto. Podría mostrarte hasta un retrato de alguien que conocés.

B. vio en ese instante la huella del arrepentimiento en los ojos de A. Fue un signo fugaz e inexplicable, una manera de invalidar la propuesta o de alentar su negativa que se hacía visible porque provenía desde una zona no consciente de su intelecto, como cuando en medio de un día luminoso como el que estaban viviendo se siente, a lo lejos, un trueno sordo y desconcertante. Y pese a esa breve clave solo por ella descifrada, finalmente aceptó la invitación. Tal vez el disco que en ese momento sonaba —*Begin the Beguine* de Cole Porter— o qui-

zá el efecto del vino del almuerzo, el harriague elaborado por el tío Esteban, la predispuso a dejarse
llevar más por los instintos que por las razones. Había algo indefinible flotando en la atmósfera del jardín de aquella tarde de diciembre, una tenue frescu-
ra que fluía desde más arriba del parral o se abría
paso bajo los tilos. En la casa penumbrosa y vacía la
aguardaban sonidos imperceptibles y objetos desconocidos y cuando empezó a subir la escalera rumbo
al dormitorio de A., tuvo conciencia de que más
que ascender estaba como levitando. En ese momento en que cada escalón crujía como una advertencia, desandaba los años y las geografías y se instalaba otra vez en el viejo chalet de La Falda, en la
posible adolescencia de otro verano, subiendo otra
escalera guiada por los dulces avatares de un juego
entre primos.

16

A. se dejó llevar por el declive de la calle que descendía hacia la costa, un quilómetro abajo. Las casas de material empezaron a escasear y se sucedían manzanas de escampados, pequeños ranchos de adobe y paja, macizos de transparentes y eucaliptos desparramados sin orden. Luego divisó la franja marrón del río, una pincelada quieta y oscura. Era probable que al alejarse del pueblo, después se retrasara para la cita, pero un mecanismo compulsivo e inexorable parecía empujarlo hacia la previsible playa, tal vez desierta a esa hora, monótona en su geografía de arenas turbias y pajonales húmedos. Estaba huyendo del mediodía, del encuentro con B., del silencio que precedería a la charla, de la charla misma y sus sinuosas retóricas, de la mirada culpable de ella y el nervioso jugueteo de él, sumergiendo panes de azúcar en el café intocado, frío.

A medida que se acercaba al río el paisaje se liberaba de presencias humanas, cediendo a monte intrincado, pequeñas hondonadas cubiertas de paja reseca y esporádicos bañados sobrevolados por nubes de mosquitos. La calle perdía su trazado e identidad hasta devenir en camino que buscaba entre pastizales el acceso a la costa. Cuando llegó por fin a la playa, una brisa fresca y húmeda soplaba desde el sur y bandadas de golondrinas atravesaban el cielo a mucha altura. Desde el horizonte del río, la tormenta avanzaba y se desplegaba en formas fantásticas. En la orilla cercana, un viejo bote despintado y escorado sobre la arena establecía el toque pictórico de esa soledad perfecta. Entonces vio las piernas que asomaban por detrás de la embarcación, los zapatos negros y opacos, los calcetines grises enrollados en los tobillos y las pantorrillas pálidas y bastante magras asomando de los pantalones remangados y amplios. Siguió avanzando y pudo ver que el que estaba sentado en la arena y recostado contra la madera reseca y semipodrida era Vasena o alguien que se le parecía.

17

Habían sido inútiles los ruegos de sus hermanos pidiéndole que regresara al país y fuera a vivir con ellos en el norte serrano. Todavía hoy, su familia ignoraba el motivo de su negativa, por más que en las cartas siempre argumentaba que ese era un asunto dispuesto por su marido y que en todo caso, de plantearse la situación de que él tuviera que ocultarse, lo más razonable era hacerlo en la otra banda, donde estaban ella y sus hijos a buen recaudo. En todo ese tiempo, solo dos veces había recibido la visita de familiares quienes, ingresando desde Paraguay, cumplían un agotador viaje solo para escuchar la misma negativa de sus labios. Primero su hermana mayor, Hortensia, y luego su padre, habían intentado llevársela de regreso, "rescatarla del error", habían implorado y habían fracasado. Ni siquiera el verdadero bienestar de los niños, esgrimido por el abuelo, la había conmovido. Pero esa firmeza exterior, aparentemente vinculada a su fidelidad, interiormente era algo más complejo. Por supuesto que hubiera regresado, pero solo en la hipótesis de no haber conocido a A.

En la nueva ciudad, sus vínculos se remitían a dos primas lejanas y mayores casadas con dos comerciantes. No tenían hijos, eran puntillosas y aburridas y en todo momento habían establecido una colaboración formal y distante con ella, como si la obligación del parentesco fuera ejercida a través de un difuso ceremonial que incluía estrafalarios consejos, siempre inoportunos, y un mar de pretextos para no cuidar jamás a Angélica y a Manuel, porque eran, obviamente, niños. No obstante, en los primeros meses, B. no había tenido más alternativa que apelar a ellas, sobre todo cuando aún no había alquilado el departamento y contratado a una niñera por horas. Cuando conoció a A., esa amistad circunstancial y cargada de sensatez, de buenas intenciones desinteresadas, le dio fuerzas para que la lejanía de esposo y familia no la amilanase.

A. era un típico hijo de ese país tan pacífico y luminoso que la había cobijado. Siendo tan próximo al suyo, en él descubría a cada momento sustantivas diferencias. La vida era menos urgente y más reflexiva: no había tanto frío en el invierno y la humedad estaba aplacada por un río que, amansándose sobre arenas blanquísimas era capaz de ser un motivo de sosiego para los vecinos de los barrios costeros.

Mientras la ciudad que ella había abandonado había crecido de espaldas al río, esta lo había integrado a su paisaje y había definido la impronta de un bello ritual: el de la caminata por las extensas ramblas que a partir de la primavera se transformaban en cita obligada de paseantes. El bello calificativo de tacita de plata que alguien le había concedido a la ciudad le pareció, desde el principio, el resumen exacto de muchas sensaciones. Además, las diferencias políticas, tan aborrecibles y encarnizadas en su país, en esa orilla apacible estaban encausadas dentro de un sistema que había sido capaz de desalentar los personalismos y sustituir al Presidente de la República por un cuerpo colegiado. Ese signo de concordia republicana, que permitía la coexistencia de mayorías y minorías gobernando, era la antítesis de lo que había dejado atrás: el poder absoluto a disposición de un viudo patético que era capaz de seducir a jovencitas mientras sus servicios de seguridad encarcelaban a estudiantes y los mantenían cautivos sin acusación ni proceso.

Cuando tenía diecisiete años había estado alojada con sus padres y sus hermanos en el Hotel Carrasco, durante el mes del Carnaval. Hacía poco que había terminado la guerra mundial y ese verano era el primero de paz tras seis años de conflicto. Los montevideanos, que habían celebrado con júbilo la victoria aliada, eran capaces también de reírse de todo y en los tablados, donde actuaban las comparsas carnavalescas, se escuchaban los punzantes versos de las murgas que mezclaban el descalabro del eje con la comidilla de la vida política. En los bailes del hotel, las orquestas de música típica se sucedían en alternado ritmo con las de jazz y música caribeña.

Autorizada a bailar solo con su hermano, B. vivió aquellas noches con el arrobamiento que le producían los galanteos de caballeros mayores, de sonrisas cómplices de una mesa a otra, de confesiones excitantes en las madrugadas compartidas con sus hermanas, en la habitación que daba al este teñido de rosa.

Lejos del habitual paisaje de sierras y valles, los añosos eucaliptos de Carrasco y las señoriales mansiones rodeadas de jardines y silencio, le habían ofrecido una nueva versión del verano: sin el asedio del primo Sergio y sus peligrosas teorías, separados para siempre por la tragedia que ese pasado octubre había sacudido a la familia.

18

Los amores entre primos no pueden admitirse, le había advertido su cura confesor, y mucho menos el contacto carnal, había agregado con un tono más bajo, vacilante, casi escandalizado. Pero, cuando le pidió detalles de aquella relación supuestamente pecaminosa, hubo en el imperceptible temblor de la voz una resonancia complaciente, interesada. Ante el silencio de ella, la voz insistió —era solo una voz que emergía detrás del tejido de esterilla que separaba al confesor de la confesante— exigiendo esos detalles que el pudor escamoteaba o fingía olvidar. Probablemente el interés del que interrogaba estaba sujeto al cálculo de la penitencia a asignar, la dimensión del castigo que pudiera hacerla merecedora de la absolución. El Señor te conoce y sabe los caminos que transitas, pero yo no; debo saber entonces, para indicarte la senda del perdón, hija mía.

Tal vez en ese momento pudo tener conciencia, al percibir el aliento fétido de la halitosis mezclada con los efluvios de un desayuno no demasiado frugal, que la persona que aguardaba su respuesta era alguien cuya curiosidad era movida por mecanismos menos trascendentes que los de la misericordia divina. De hecho, por un instante supo que el tono de la voz, el vaho de miserias humanas y el entrecortado respirar, pertenecían a una criatura capaz de padecer las mismas debilidades que ella, no asistiéndole entonces derecho alguno a indagar y mucho menos juzgar. Pero finalmente, el miedo y la turbación ganaron la partida y en un apresurado balbuceo describió pormenores de sus encuentros con Sergio, que de carnales tenían poco, pero que alimentaban lo prohibido bajo la especie de lecturas sobre sexualidad y enfermedades venéreas en libros que pertenecían al padre de B., que era médico. También solían leer, en voz alta, las turbadoras sentencias del filósofo ateo Nietzsche, quien proclamaba la muerte de Dios y el advenimiento del superhombre. Fue Sergio el primero en hacerla dudar al decirle que Dios era una proyección humana:

No deja de ser inquietante sentirnos atraídos por aquello que tememos, le decía en las horas muertas y sofocantes de la siesta en las sierras. La sensación de vértigo que experimentamos ante el vacío de un abismo es también la inexorable necesidad de dejarnos caer en ese abismo. Conozco personas que buscan con desesperación o fría temeridad los lindes de sus propios miedos. De alguna manera, prima, hemos sido hechos para transgredir, aunque no lo sepamos. El famoso pecado original es la prueba evidente de esa condición. ¿Cómo puede pensarse en la existencia de un ser reflejo de la divinidad creadora, desprovisto de la posibilidad de la desobediencia? En el miedo está la contracara de la osadía: en realidad somos lo que tememos. Y el Dios bíblico es la representación más perfecta de esa verdad porque si hay algo que exige es que le teman.

La mirada fanática y la sonrisa levemente cínica de Sergio la estremecía mucho más que sus teorías, pero se sentía atraída por la grieta que le abrían sus dichos. Entonces fingía la indignación y le exigía más explicaciones:

Primero temerle, luego amarle, advertía Sergio, imitando el tono admonitorio de un cura o un predicador declamando un sermón. Es terrible esa imagen del Salmo 94: "Jehová, Dios de las venganzas, Dios de las venganzas, muéstrate...". Un Dios vengativo, imponente en su poder, inescrutable en sus designios, implacable con los enemigos del pueblo elegido pero a la vez cruel y ensañado con sus hijos. Un compendio del arte de amedrentar, un verdadero déspota. Temer y aceptar aun lo que no seamos capaces de entender, prima. Teme, querida prima, y te perderás todos los goces de la vida, culminaba Sergio y B. quedaba bañada en transpiración y sin argumentos para responder.

¿Él te toca?, musitó la voz, febril, lacónica, mientras las campanas de la iglesia llamaban a misa de nueve. Debió responderle: No, nunca lo hace, pero no es necesario, es como un juego; no lo entendería ni aun explicándoselo en detalle. Se trata, precisamente, de no tocarnos, de imaginar, de sentir más allá de nuestras pieles, de estar desnudos sin quitarnos la ropa.

Nunca supo porqué respondió: Sí, padre, me toca.

19

Cuando A. se acercó al bote pudo ver mejor el rostro, los ojos que se habían vuelto hacia él con un interés circunstancial y distraído. Definitivamente ese hombre que le miraba un poco de lado, sin siquiera movilizar un solo átomo de su calma, no era Vasena, a menos que Vasena no hubiera envejecido en todos esos años y, por un procedimiento escandaloso para la lógica, se encontrase ahora rejuvenecido. Sin duda, ambos tenían un aire que los vinculaba, la misma propensión a la calvicie y un gesto de semisonrisa en el rictus de la boca breve y de labios finos. Era probable que, a la distancia y bajo la impresión de verlo materializarse en la calle desconocida, surgiendo desde el pasado, el parecido entre ambos fuera tal que A. hubiese creído ver a su antiguo profesor de dibujo. Pero ahora todo estaba claro: no eran la misma persona. No obstante, el interés por desentrañar el error lo había acercado al desconocido y ahora no tenía más remedio que justificarse:

Perdone, lo confundí con otra persona.

El hombre sonrió como lo había hecho en la calle, torciendo un poco el cuello y amenazando con incorporarse. Entonces el aparente desinterés se diluyó en una actitud atenta, proclive al diálogo. Era un individuo que frisaba los cuarenta años, vestido de traje y corbata, pero con un estilo descuidado y en parte antiguo. Cuando lo había visto en el pueblo le había parecido más gordo, abotagado casi. Ahora, mirándolo mejor, comprobó que esa impresión era producto de anteponer el recuerdo, el malentendido, a la realidad. El desconocido, que estaba incorporándose con aparatosa agilidad, era bajo y la ropa le quedaba holgada y lo que antes parecía un vientre era en realidad un chaleco que sobresalía del saco abierto por una desproporción en el talle.

A mí me ocurrió lo mismo —dijo el hombre que se parecía a Vasena.

A. sintió la incomodidad de no saber qué responder o qué agregar a lo dicho, porque no era ese el día ni el momento para conocer a alguien en ese lugar circunstancial. No obstante, la curiosidad por saber a quién había creído ver el otro en él pudo más:

Qué casualidad —dijo y miró el horizonte, cargado de nubes, como si en esa geometría compleja y a cada minuto cambiante pudiera descansar de un oscuro tormento.

El novio de una sobrina es parecido a usted. Creí que era él, aunque claro, fue una confusión fugaz que usted mismo alentó. ¿Casualidad? Una palabra que nos ahorra otras, más complejas.

A. sonrió para sí y esbozó un breve gesto de despedida. De pronto sintió la urgente necesidad de alejarse, de llegar cuanto antes al lugar de la cita y encontrarse con B.

Espere, antes dígame quién era yo —de manera amable, el extraño admitió también su curiosidad.

¿Conoce a Vasena, el pintor?

Claro que no, ese nombre no me dice nada, aunque en esos temas soy ignorante. Pero, salgamos de conjeturas: me llamo Gauna, Alcides Gauna y soy viajante de comercio.

Gauna extendió su mano y A. no tuvo más remedio que estrechársela.

A. mencionó su apellido y pudo agregar alguna ocupación o especialidad, pero no encontró ninguna que mereciera ser mencionada. Entonces, sin saber porqué, mintió:

Me dedico a negocios rurales.

En ese momento sintieron una explosión lejana. Ambos se volvieron y miraron el horizonte en dirección al oeste. Gauna avanzó unos pasos hacia la orilla y luego gritó:

Decían que la Marina iba a cañonear los depósitos de Quilmes. En Mar del Plata ya lo hicieron. Parece que el viudo renunció. ¿Habrán sido bombas?

A. no respondió. Le pareció que Gauna exageraba o que buscaba temas de conversación. En todo caso, lo mejor era alejarse, no prolongar aquel malentendido más de lo necesario. Pero el desconocido insistió:

Vine hasta aquí por las dudas que se viera algo. Hoy andaba una escuadrilla haciendo ruido. Me refiero a los aviones, claro. Este es un país tranquilo, no veo para qué meterse. Es un problema de ellos, ¿verdad? Ahora van a empezar a llegar cabecitas negras, sindicalistas, todos por el río buscando escapar. Es como todo, cuando la tortilla se da vuelta un poco de aceite salpica. Demasiados líos tenemos por acá para andar entreverándose con los ajenos.

A. pensó en el marido de B. y por primera vez le pareció alguien real, posible y lo suficientemente cercano. Alguien que a lo mejor en ese momento estaba preparándose para recuperar nuevamente su vida y sus pertenencias más elementales, incluida su familia. Era curioso cómo en todo ese tiempo ese hombre había sido apenas un dato, una referencia borrosa generalmente nombrada por B. Tal vez esa era la razón por la cual él no había logrado vencer en la lucha por B.: el periodista ni siquiera había jugado, no había comparecido de manera decisiva en la historia sino que se había marginado cuando más buscaba incidir en ella. Sin proponérselo, se había mantenido a un costado y ahora regresaba, invicto y liberado, asumiendo otra vez el sitio jamás ocupado por nadie. Iba a recuperar a su mujer y a sus hijos, a retomar otra vez la pluma y el prestigio, a ser otra vez el factor dominante en la vida de B. En cambio él, A., empezaba a ser el pasado, el secreto jamás confesado, la posibilidad de lo que nunca pudo ser, la alternativa en paralelo, la otra vida que iba a suspenderse, a anularse en medio de un clamor de ejércitos en marcha. De qué otra cosa querría hablar B. hoy si no de eso.

¿Adónde va?, espere, dijo Gauna, casi suplicando.

A. nuevamente no respondió, como si el desconocido ya no estuviera allí y algo inexorable lo reclamase, no en el centro del pueblo sino en un lugar mucho más distante e inaccesible. Si aquella mañana del año anterior no hubiera prestado atención a la mujer que era humillada por el mozo, seguramente ahora no estaría en esa playa, agobiado por la angustia, soportando que un extraño le hiciera preguntas y se empeñara en seguirlo sin sospechar, siquiera, que el tiempo, no el cronológico que ambos podrían compartir, sino el de B. y él, está agotándose irremediablemente y que esa es, ahora lo sabe, la prueba de que ese tiempo no fluye sólo desde el pasado al futuro, sino que se detiene en otras estaciones, que merodea y se distrae, se bifurca y se pierde para siempre en pliegues remotos que muy pocos llegan a conocer.

Bajo el mediodía que había empezado a ponerse tormentoso, sin tener otro motivo que el de oírse, A. se volvió hacia el desconocido y le propuso:

Me gustaría contarle algo.

20

A medida que se ha ido aproximando al pueblo, B. ha disminuido la velocidad, porque la carretera está más transitada. Se cruza con *charrets* que conducen muchachones desabrigados y sonrientes, llevando cajones de frutas y tarros de leche. Algunos la saludan, porque sí, arrojándole una manzana a la caja de la camioneta. Esquiva un par de tractores que remolcan chatas cargadas de forraje y se detiene para dejar pasar una tropilla de ganado holando cruzando de un campo a otro. A lo lejos divisa la iglesia del pueblo y más atrás la torre del agua. El paisaje es familiar, simple, luminoso, pero a ella se le aparece como un pobre decorado. Quisiera detenerse y regresar, pero no sabe adónde.

Enciende la radio de la camioneta y un rumor de estática la envuelve. Rápidamente gira el dial hasta encontrar la onda de una emisora que repite consignas y comunicados en un tono oficial, perentorio, triunfalista. Ha sintonizado la voz de un tiempo que acaba de iniciarse, una voz que atravesando el río parece inaugurar, paradójicamente, el pasado. La voz habla del alzamiento en Córdoba, de la flota que zarpó de Puerto Belgrano para llegar victoriosa a las aguas del Plata, del gobernante depuesto en fuga o asilado en una embajada. La voz mastica las palabras y las recita con deleite, enfatizando en forma inútil sus significados. Su timbre tiene un dejo revanchista, un eco abnegado y a la vez fúnebre, similar al que años atrás había comunicado que "la Subsecretaría de Información de la Presidencia de la Nación tiene el penosísimo deber de informar al pueblo de la República que a las veinte y veinticinco horas ha fallecido...".

Incapaz de seguir soportando esa voz, B. apaga el receptor y enlentece la marcha hasta detenerse en un paso a nivel con las barreras bajas. En ese momento, no lejos de allí, A. empieza a relatar la historia de su relación a un desconocido.

¿Por qué se habían citado ese mediodía en ese lugar de paso en el cual jamás habían estado? La única explicación posible, piensa B., es la necesidad de cumplir un trámite, la formalidad de expresar una ruptura en territorio neutral. En suma: su sentido del deber y la practicidad habían determinado el punto de reunión, porque la capital era el lugar de los otros encuentros, el territorio de lo prohibido. Una habitación de un hotel de la Ciudad Vieja, cercano a la Plaza Matriz, ocupado por músicos, jubilados y algún estudiante; el cielo remoto del tercer piso por escalera y el silencio de las horas de la siesta que se va espiralando en los tonos bajos de un cello que ensaya el *Cuarteto en Re* de Borodin. En la penumbra del cuarto austero y orientado al sur, ellos, persiguiendo el tiempo a través de un bordado de caricias, desovillando la ternura en sucesivos asaltos al placer y a la negrura profunda que sucede al éxtasis. En todo caso y sin saberlo, buscaban el descubrimiento de la primera vez en el cuarto de A., el calor de aquel mediodía del Prado, embriagados de misterio y tanteos lánguidos, sin poder renunciar ya a la pasión. Y mientras el cello los guiaba por un dédalo de jadeos y frases entrecortadas, el sol había descendido un poco más y proyectaba sesgos de luz dorada a través de las persianas entornadas, señalándolos con sus dedos múltiples y rectos. Nunca supo porqué, una tarde A. dijo, con un énfasis nuevo y la mirada perdida: En todo esto hay alguien que está haciendo trampa y no somos nosotros. Después se instaló entre ambos un largo silencio que ni siquiera la música pudo romper.

Las barreras se levantaron, pero B. no tuvo conciencia del pasaje del tren. Consultó su reloj y faltaba media hora para la cita.

21

A. y Alcides Gauna habían trepado la suave cuesta desde la costa sin apuro, mientras el relato de A. establecía un silencio atento y respetuoso en el desconocido, una fascinación agradecida que se traducía en semisonrisas mudas y un asentir con la cabeza inclinada y la expresión cariacontecida, embobada por momentos. Ahora estaban detenidos frente a un almacén y bar, una esquina pintada a la cal con algunos carteles de chapa esmaltada que anunciaban bebidas diversas. La entrada en ochava tenía una cortina de hule cortado en tiras que ocultaba un interior en penumbras. Desde el interior del establecimiento se oía los golpes del casín y un rumor de radio mal sintonizada y de conversaciones breves, entrecortadas por exclamaciones.

Tomemos algo —propuso Gauna, señalando el lugar. A. ensayó una negativa y consultó el reloj.

Me espera B.

Por lo que me ha contado, no debe ir. Por primera vez, la expresión del desconocido abandonó la falsedad untuosa del vendedor y adquirió una autoridad inédita.

Usted está loco. Por lo que le he contado es que ya tendría que estar en la confitería.

Gauna lo tomó del brazo y sin violencia pero con firmeza lo empujó hacia el bar. Parecía alguien experto en manejar indecisos:

Si lo que teme es un final, no lo precipite. ¿Y cómo sabe que ella va a estar allí? —inquirió el desconocido, sin dejar de oprimir el codo de A., de dirigirlo paso por paso a la entrada. Un nuevo golpe del taco contra la bola provocó otra exclamación. A. intentó otra negativa, sin convicción, atenazado por el miedo y la certeza de que postergar el encuentro era una manera de prolongar la incertidumbre de tenerlo.

No dude que allí va a estar. Después de todo, ella me citó.

Precisamente por eso es que no debe ir, aconsejó Gauna, imbuido de sabiduría y paternalismo. No debe permitir que ella imponga sus condiciones; si lo quiere abandonar no le facilite el trámite.

¿Qué puede saber usted de esto?, el tono de A. era de fastidio y a la vez de impotencia. Tal vez estaba afirmando, de una manera ostentosa y elíptica, "qué puedo saber yo".

Gauna logró que entraran al bar y de inmediato señaló una mesa alejada del casín y los jugadores. A. volvió a consultar inútilmente su reloj y como en una breve ensoñación evocó la posible mirada de B. juzgándolo por la demora.

Probablemente no sepa nada, es cierto, pero no se trata de saber, se trata de ganar tiempo. Si usted no aparece en el momento que ella espera, su estrategia se desbarata y el impulso se pierde. Vamos a tomar una cerveza y planificar, dejar que los hechos se impongan.

¿Qué hechos? Usted insiste en entrometerse, en fantasear. Lo que le he contado no le da méritos para nada en este asunto.

Yo soy la Providencia, no me subestime. Piense en las coincidencias que nos unen. Este lugar no facilita encuentros, pero aquí me tiene. Llegó a esa playa perdido, buscando pretextos para faltar a la cita pero incapaz de inventar uno solo valedero. Y allí estaba Gauna, parecido no sé a quién, esperándolo o no, pero interesado en oírlo. Yo, Gauna, el viajante extraviado, el vendedor de nada. Podría contarle un par de historias que le asombrarían sobre mi pasado. Así que la Doble Uruguaya bien fría ya me la estoy ganando. Escuché su historia sin exigirle que usted oiga la mía.

22

B. estacionó en la calle que rodeaba la plaza y miró hacia la confitería. Sin que la asistiera un motivo, supo que A. aún no había llegado. No quiso imaginar las posibles causas de la ausencia, pero la demora iba a darle la oportunidad de recomponer el semblante, instalada en una mesa alejada de las ventanas. Ahora sentía la necesidad de esa pausa solitaria antes del encuentro, quería serenarse y asumir los mecanismos de la ruptura. Pensó en sus hijos, en lo distantes que estaban del mundo de los adultos y en un posible diálogo, en un remoto día del futuro, en el que investida de sinceridad iba a explicarles todo lo ocurrido en esa temporada en el exilio. Necesitaba creer en esa chance, en la posibilidad de hablar con alguien sobre esos días y solo Manuel y Angélica —ya crecidos y dotados de criterio y tolerancia— iban a ser capaces de oírla. Pero al pensar en lo que podría contarles no encuentra las palabras, solo tiene imágenes inconexas, fragmentadas por zonas oscuras, difusas, irreales. Eso es todo lo que es capaz de evocar de esos meses. Ni siquiera el rostro de A. se le aparece claro: es apenas, en ese momento en que está a punto de entrar en la confitería, una cara borrosa, una mirada que la contempla desde una lejanía de cuartos precarios, de calles atardecidas. Lo ve ahora, precediéndola en el ascenso al dormitorio de la casa del Prado: él se vuelve y la toma de la mano mientras un escalón cruje y desde el jardín llegan risas y la monotonía nostálgica de *Begin the Beguine*. Están subiendo con lentitud y hay unos dibujos que pretextan el abandono del grupo durante la sobremesa, hay una liviandad que ella es incapaz de rechazar, un dejarse llevar hacia la intimidad, hacia esa alcoba que va a recordar como una suma de objetos, de planos, de destellos, de sombras, de olores, de colores pastel sobre la colcha de chenil. Puede organizar ese caos veloz a partir de un primer abrazo que la hace girar y de pronto estar sobre la cama, asombrada e indefensa, sobre todo de sí misma mientras A., sin perder un gramo de caballerosidad, va desprendiéndole los botones del vestido de lino celeste a lunares turquesa, que desde ese día no ha vuelto a ponerse.

Ya en el salón, observa una por una las mesas para confirmar la intuición inicial: A. evidentemente no ha llegado; por primera vez será impuntual. Siente otra vez la rabia que le enturbia la mirada, la acalora, la hace dudar entre quedarse o regresar a la camioneta. Pero eso equivale a dejar la cuestión sin resolver, a postergar una decisión que la lógica de los hechos ha de imponer. Los hechos señalan que su esposo ha sido liberado y que el gobierno ha caído. La lógica es el regreso a la normalidad familiar y al hogar, la reconstrucción de la vida anterior y el reencuentro con quienes la integran. Eso equivale también a enfrentarse a su marido y poder mirarlo sin que el recuerdo de A. pueda enturbiar esa mirada.

Finalmente resuelve sentarse y esperar. Pide un refresco y consulta su reloj. Pese a que la confitería está casi vacía se siente observada, culpable. Intenta ordenar sus prioridades: la primera, no ceder a los verdaderos sentimientos. Sabe que A. va a adoptar una actitud blanda y pasiva, mirándola en silencio mientras de a poco sus dedos irán entrelazándose con los de ella, provocando, en los suaves roces, una corriente que irá paralizándola, quitándole iniciativa. El lenguaje de A. será el de siempre: sutil, retraído, sugerente, hecho de breves reflexiones que aparentemente caen sobre su conciencia como ecos de un discurso más complejo, acaso el de su primo Sergio y aquella fervorosa letanía que apelaba a Nietzsche y denostaba su educación cristiana. Entonces ella era incapaz de concebir transgresión alguna en su vida, porque toda ella estaba ya trazada desde el noviazgo a las bodas de oro. Lo de Sergio —siempre lo había concebido así— era un juego, una sucesión de pruebas, una turbadora secuencia de travesuras mentadas en confesión y enumeradas en un diario que una vez había quemado. No había sido aquello —pese a la preocupación de padre y los rezongos de madre— otra cosa que ensoñaciones de estío y descubrimientos adolescentes. Que Sergio fuera capaz de ahogar gatitos recién nacidos o bañarse completamente desnudo y en pleno invierno en el río, era, siempre lo supo, un alarde de narcisismo exhibicionista que la había fascinado, tal vez porque le mostraba una noción de los límites que ella desconocía. El mundo de Sergio estaba poblado de visiones, de desafíos, de oscuros desprecios y también de sensualidad. Era un mundo inquietante y adulto que se agitaba en la cabeza febril de su primo.

El último verano que habían estado juntos, ella había conocido a quien sería su esposo, alguien mayor y formal, adecuadamente buen mozo y por sobre todo, soltero. Había sido un encuentro casual en uno de los recreos de La Falda, cuando los vínculos sociales son fáciles y efímeros. No obstante y pese a lo casual de la conversación —él era amigo de una familia que ocupaba un chalet vecino al de sus padres— B. había quedado impresionada por aquel joven periodista de gesto altivo y ademanes recios que le recordaba un poco al cantor Hugo del Carril, con el beneficio de que a aquel el tango no le interesaba. Entonces ella tenía dieciséis años y él casi la doblaba en edad —tenía veintiocho—, pero lejos de ser ese un detalle negativo, alentaba una futura relación —seria, formal, con futuro, como recomendaba su madre y de manera enfática imponía su padre— por lo que B., a partir de aquel primer encuentro, se entregó a la fantasía de ser la esposa del periodista luego de los convenientes y previsibles años de noviazgo. No obstante, después solo hubo algún galanteo ocasional en Carlos Paz y un par de cartas recibidas meses después desde la capital, llenas de reflexiones obvias y veladas sugerencias de futuros encuentros. Así, el futuro pretendiente quedó en su mente en estado de latencia, aureolado por el prestigio de lo que no podía ser, de la distancia y de su capacidad para soñarlo marido y a la medida de sus ilusiones.

Por una coincidencia que años después le parecería decisiva, luego de aquel último verano cordobés la historia le deparó dos hechos de distintas dimensiones: el suicidio —inexplicable— de su primo Sergio y el ascenso irresistible del coronel Perón, ambos sucedidos el mismo día de octubre.

23

Nunca quedaron claras las razones de aquella muerte absurda de Sergio, ocurrida en su dormitorio luego de un certero disparo con el viejo Smith & Wesson del padre, una sola bala y un perfecto orificio en la garganta, a la altura de la carótida. En todo caso y después del soterrado escándalo y la inevitable investigación policial, se cerró el caso con una misa en la iglesia del Pilar. Desde Córdoba, la familia concurrió en pleno y todos comulgaron menos B., quien se retiró antes del momento de la consagración, presa de una crisis de llanto.

El primo Sergio no dejó carta alguna que explicara su decisión y entre sus pertenencias nada indicaba un posible desequilibrio que le hubiera empujado a disparar contra sí mismo. Nadie más podía saber, porque lo conocía de esa manera íntima que solo puede concebirse en la adolescencia, que la razón no había que buscarla en un desborde de angustia o en el gesto desesperado de un solitario. Probablemente había jugueteado con el arma y coqueteado con el abismo, había convocado el miedo y la fascinación por descubrir el otro lado. Se sabía solo y prescindible, incomprendido y extraño por el solo hecho de ser diferente. Tal vez se dijo, con esa implacable lucidez, esa fría certeza que se le instalaba en la mirada como un reflejo de una luna remota, acerada y fría: Alcanza con un instante, la absurda duración de un parpadeo, el aleteo de unas

negras alas que despliegan en la sombra. Quién podía saber lo que ella sospechaba, tener la seguridad
de que no hubo insania o agobio, que todo pasó
con la levedad de la distracción de un equilibrista
que atraviesa el Niágara con la sola ayuda del cable
y la pértiga. Un paso, dos, tres, la mirada al frente y
la sonrisa enigmática, dura en medio del estruendo
y el fragor, ya sin el peso de lo terreno en ese espacio inexistente del mínimo alambre, solo el desafío
de avanzar otro poco sin perder concentración, tanteando en la nada, en el vacío abierto y total que
por un lado rechaza y por otro le atrae.

24

En el bar, la penumbra y la cerveza fría se correspondían exactamente con una oscura necesidad de tregua, de distanciamiento que A. había confundido con indecisión o miedo. Ante Gauna y el resto de los parroquianos, que insistían en deambular junto a la mesa verde en una lenta esgrima de palos entizados y oblicuos, por primera vez en la mañana se sintió a salvo de reproches o fantasmas. Gauna no era la Providencia, era apenas un desdibujado reflejo de sus propias dudas, alguien que iba a servirle para detener el tiempo, prolongando con su conversación inútil toda la eternidad previa. Si B. estaba ya en el lugar pactado, en el momento elegido, la sucesión de eventos posteriores y esperados no habría de cumplirse. No hablarían de manera "inevitable y franca" y el adiós previsible necesariamente no se produciría.

Mientras Gauna habla de sus trabajos, vinculados al corretaje y al descubrimiento de futuras estrellas de fútbol en canchas rodeadas de chacras y gente en bicicleta, A. regresa, una vez más, a los terrones blancos, a los dedos fríos, al pocillo humeante y al bar americano. Necesita recuperar esa imagen de B. llegando en la mañana, el aire honesto y desvalido y la mirada —en ese instante fugaz en que se encontró con la suya— imponiendo una suma variable de sensaciones vinculadas a la piedad y a la ternura. Pero ese regreso tiene que desandar, ahora lo descubre, los territorios ganados a la pasión y a esos meses de conocimiento en que, como un explorador extraviado en medio de un laberinto selvático, se internó por senderos inciertos que muchas veces culminaban en pasajes ciegos, en hondonadas oscuras y cerradas a todo avance.

Trabajé para Amézaga y después para Luis Batlle, dijo Gauna, sin énfasis, como explicando un asunto obvio. Inclusive Luis me llamó hace unos años para que vendiera avisos para el diario. Un hombre afable e inteligente, lleno de iniciativa. Ahora tiene muchos problemas porque el Colegiado es un invento para que el sobrino de don Pepe no pueda gobernar. Ya ve qué situación, todos quejándose, empezando por toda esta gente del Ruralismo.

El comentario de Gauna le llegó a A. como una sucesión de palabras inconexas y carentes de sentido, pese a que el desconocido hablaba con el tono intimista que emplean los viejos camaradas para conversar. En torno a la mesa verde, dos hombres empezaron a discutir, aunque también era posible que fingieran o que exageraran el encono. Gauna pareció ignorarlos, necesitaba insistir con su historia:

Cuando la guerra estábamos mejor, aunque alineados, claro. Pero desarrollamos industria, cocinas Volcán y heladeras Ferrosmalt, campeones del Mundo, frigoríficos, plebiscitos por un vintén y don Luis caminando por Dieciocho saludando a la gente. El agua, los tranvías y los trenes nacionalizados con Gauna vistiéndose en El Coloso y jugando a ganador y placé todos los domingos. Tal vez fue esa una buena época.

La discusión de los billaristas había subido de tono y se mentaba el nombre de una mujer. Uno de ellos amagaba con golpear a otro con el taco y el patrón había abandonado el fregado de copas y procuraba calmar los ánimos. Luego y de manera insensible, el debate se tiñó de política y las divisas tradicionales establecieron bandos. La palabra "galerudos" resonó sobre las demás, amenazando con precipitar la discusión hacia la violencia, primero verbal y luego física. Pero de pronto todos rieron, como si el encono anterior hubiera sido una simple farsa. Estaban, evidentemente, todos algo ebrios y su insolencia no dejaba de ser más que el impulso irreflexivo provocado por el alcohol.

Cuando parecía que el alboroto se aplacaba y las destrezas del billar distraían otra vez los ánimos, uno de los jugadores señaló la mesa de Gauna y A. y les advirtió:

¿Qué les pasa a ustedes, eh? ¿Qué miran... a ver?

Gauna se volvió hacia el que había hablado y arqueó sus cejas en señal de incomprensión. A. permaneció quieto, mirando fijamente las tablas gastadas del piso y los restos de aserrín desparramados junto al mostrador. Por primera vez pensó en lo absurdo de la situación: conversando con un desconocido en un almacén miserable de un pueblo cuyo nombre tal vez no recordase, soportaba el desafío de alguien a quien jamás había visto mientras B. lo aguardaba a pocas cuadras de allí.

¿Qué pasa, eh? —insistió el jugador, con sus manos crispadas sosteniendo el taco, mientras los otros dos aprobaban su valentonada, mirando a Gauna con burlona insolencia.

Vámonos —dijo A. por lo bajo. Pensó en B. y en la última vez que se habían visto, hacía quince días. Se habían encontrado en el bar de la Estación Central, una mañana lluviosa y fría. Habían bebido café y hablado poco; B. estaba distante y el desasosiego le daba a su semblante un aire demacrado. Después caminaron por la avenida Agraciada rumbo al Centro, acurrucados bajo el paraguas de A. Al llegar a Río Negro y 18 de Julio, entraron al London-París, porque B. necesitaba comprar medias y piyamas para sus hijos y unos zapatos para ella. Por los comentarios que hacía, el empleado que los atendió supuso que eran un matrimonio y ellos no le aclararon el malentendido, pero la situación les produjo una incomodidad que los agobió durante el almuerzo, en un restaurante de la calle Rondeau. Como si un cristal muy delgado y casi invisible se hubiese quebrado, la sobremesa fue tan silenciosa como el café de la Estación. Tal vez allí había empezado el adiós —piensa ahora A., mientras busca en sus bolsillos un billete de cinco pesos para pagar las cervezas. Puede recordar la mesa con los restos de comida, el vaso de gaseosa Limol apenas tocado por los labios de B. y una música remota fluyendo de una vieja radio encendida en algún lugar del salón. Esos detalles se le antojan ahora decisivos para la evocación, como si fueran los elementos centrales de un cuadro, los objetos, escasos y fundamentales, de una composición pictórica. En un segundo plano y difuso, irreal, un mozo bosteza junto a un perchero de viena del que cuelgan sus abrigos y el paraguas. Más atrás, un espejo *art nouveau* enmarcado en caoba, podría estar reflejándolos, encorvados sobre la mesa, pequeña y con mantel a cuadros celestes y blancos: él conteniendo el impulso de besarla y ella alentándolo a que lo haga. No obstante, nada sucede, están como paralizados en la inminencia de una confesión o un renunciamiento.

Afuera llueve y los peatones caminan o corren por la avenida, mientras los ómnibus frenan con lentitud en las paradas para que los pasajeros salten con urgencia a las plataformas.

Ignórelos —dice Gauna— están borrachos.

A. le hace una seña al dueño y ya de pie le da la espalda a los jugadores. Ha puesto el billete junto a la botella, con el mismo gesto prolijo que había empleado en el restaurante, accediendo a la súplica de B. de pagar y salir cuanto antes de allí porque la música —un machacoso pasodoble, una canción española y estridente, que abundaba en lamentos y notas estiradas— le hacía doler la cabeza y el lugar, tal vez mal elegido, le parecía oloroso y deprimente.

Hubiera sido prudente, dada la lluvia y el malestar de B., tomar un taxi hasta el hotel de la Ciudad Vieja y pasar allí la tarde, acunados por el cello y el golpeteo de las gotas contra la celosía de la ventana. Pero A. no propuso esa alternativa porque el temor a la negativa de B. —no vislumbrada en signos concretos sino intuida, impuesta desde un pensamiento silencioso y recóndito que, como si fueran telépatas, ella le había hecho llegar desde el frío de sus manos y la furtiva desolación de su mirada. Entonces treparon por Rondeau hasta la Plaza Cagancha y de allí hasta el cine Ariel, con los paquetes del London-París entre ambos y el paraguas cubriéndolos de negro.

Uno de sus primeros encuentros había sido en el cine, un día de semana en la función vermú del Metro. A. recuerda todavía la sensación de liviandad que los envolvía, desplazándose con lentitud sobre las mullidas alfombras del hall, sin decidirse a entrar porque conversar era más importante que mirar los acrobáticos bailes de Gene Kelly en *Un americano en París.*

Ahora, la sensación es otra: hay un agobio que los paraliza desde la humedad y la incomodidad de las manos ocupadas por paquetes y paraguas. La función de media tarde ya ha comenzado y poco les interesa el título que exhiben. A. compra las entradas y se meten en la oscuridad de la sala semivacía. El portero los guía hasta la fila veinte y les señala con el foco de la linterna dos asientos junto al pasillo. En la pantalla, una mujer rubia corre por una callejuela oscura de Londres o Viena. Alguien la persigue, pero solo se ven sus pies sobre un empedrado húmedo o escalones tortuosos. La música tiene una cualidad irreal y a contrapelo de la situación, pero en ello radica el efecto inquietante que produce.

Ya sentados y liberados del paraguas y los paquetes, se toman de las manos y acercan sus caras para besarse, pero la mujer de la pantalla grita y los relámpagos iluminan su rostro aterrado y su brazo a punto de cubrir su cara, de protegerla de un ataque o de una visión terrible. Entonces, B. se aparta de A. y se libera de sus manos, como si junto a ella estuviera un desconocido, alguien anónimo que de pronto hubiese aprovechado la oscuridad para acosarla. Finalmente, con un hilo de voz y sin mirarlo, dice:

Somos unos canallas.

25

La ofuscación ahora había cedido a una nerviosa expectativa. B. no podía creer aún que A. no cumpliera con la cita, que la dejara esperando en ese mediodía que de pronto había comenzado a nublarse. No era el momento de pensar en disculpas, por más que era posible que A. no hubiese obtenido el permiso para faltar a su empleo o que el tren o el ómnibus hubieran sufrido un percance. También, y eso era lo que más la inquietaba, era probable que simplemente no viniera.

Se habían visto por última vez unas semanas antes en la capital, un día lluvioso y cargado de presagios. Por alguna razón que B. todavía no puede explicarse, el encuentro había sido como una sucesión de pequeños escalofríos, de desencuentros imperceptibles. Ella había estado sensible y a la vez reacia a la intimidad, necesitada de su cercanía pero refractaria a todos los intentos de A. por atraerla. Las horas se les habían ido en caminatas bajo la lluvia, compras, un frugal almuerzo en un lugar inadecuado y una breve matiné en un cine, fallida porque no tenían un real interés en ver la película. Simplemente habían entrado allí para no seguir mojándose o tal vez para no tener que hablar. Hasta que, finalmente, ella decidió regresar, no en el último tren —como habitualmente hacía— sino en un ómnibus de la Plaza Cagancha.

Puede evocar la cara de A., de pie y mojándose junto a la ventanilla, mirándola desde la calzada mientras, lentamente, el ómnibus comienza a salir marcha atrás. Hay en su expresión una mansa resignación y una extraña súplica, trasmitida en esa breve sonrisa mentirosa y forzada. Esa tarde se ha ido y no han podido disfrutarla, parece querer decirle. Ella ha sido la culpable del desencuentro, porque por primera vez ha sentido el hastío de ese tiempo cuya memoria no habrá de perdurar. Sin embargo, mientras la imagen de A. se aleja y empequeñece cuando el ómnibus abandona la plaza, comprende que esa tarde ha estado representando una comedia, o peor, ha ensayado el discurso vacío del arrepentimiento. Tuvo necesidad de oírse pronunciar ciertas palabras y, sobre todo, ser capaz de rechazar la posibilidad de ser feliz, de entregarse una vez más a él. Había pensado que esa renuncia la fortalecería, que era posible negarse y dejar pasar la vida secreta para empezar a recuperar la otra, la anterior. Pero a medida que el ómnibus iba dejando atrás la ciudad, los campos atardecidos y húmedos y su rutina de leves ondulaciones, la monotonía de pequeños bosques, esparcidas casas y galpones la arrojó al mar plomizo de las evocaciones. Se vio en el hotel, desvistiéndose con lentitud, con toda su piel erizada y a la vez complacida, anticipando el tacto y la temperatura de A., los lánguidos movimientos del juego sucediéndose entre suspiros y entrecortados monosílabos que se pierden en el rumor de la lluvia que cae afuera y la espiral creciente del cello que repite una frase tan bella que nunca podrá memorizarla. Con oleadas de imágenes fragmentadas, la tarde no vivida se fue desplegando en su mente con el minucioso detalle de un mapa capaz de describir la abismal topografía del alma. Era esa tarde y todas las anteriores, en realidad pocas, escasas porque sabe que se terminan. Pero esa tarde pudo ser —ahora que está sola en la confitería es capaz de entenderlo— la última si A. no viene.

Sin desesperarse, pero midiendo el tiempo de la demora como si descendiera a un abismo submarino con una escasa provisión de aire, B. intenta mimetizarse con el nulo movimiento del salón, apenas ocupado por el patrón, un mozo que lee el periódico en una de las mesas y dos muchachas que conversan entre cuchicheos mientras beben leche con granadina. En la calle un automóvil grande y azul maniobra para estacionar cerca de la puerta de la confitería. Las portezuelas se abren y baja una pareja de edad mediana vistiendo, ambos, largos impermeables claros. Un viento extraño parece envolverlos, porque sus abrigos se agitan y sus sombreros amenazan salir volando. B. reconoce a la mujer y una helada inquietud la paraliza.

26

A. no escucha los ruegos de Gauna ni las provocaciones del jugador de billar. Ha dejado el dinero de las cervezas sobre la mesa y se dispone a abandonar el bar, urgido por llegar rápidamente al centro del pueblo antes de que B. se canse de esperarlo. Ahora siente el pánico de que ella se haya ido, que se produzca un desencuentro irreparable y que la posibilidad de revertirlo se desvanezca en una mesa vacía sobre la que todavía flota el perfume de B.

Ya otra vez había sucedido un desencuentro, pero este había sido involuntario. Habían convenido encontrarse en una confitería de Pocitos y ambos confundieron la hora. A. llegó media hora antes de lo que debía y B. se retrasó, porque un momento antes de salir había recibido un llamado de su marido desde Buenos Aires. Era una tarde soleada de ese último otoño, un sábado previo a la Semana Santa y cientos de familias y parejas caminaban por la rambla y aún se animaban a descender a la playa, porque todavía el calor se demoraba más allá del verano.

Harto de consultar su reloj y mirar hacia la avenida Brasil, A. pagó su refresco y bajó hacia el mar, deshecho en dudas y con una angustia recién estrenada: B. era como un dolor, un ahogo creciente, una ausencia insoportable. Imaginó una por una las posibles razones de esa ausencia y concluyó que había sido un iluso. Tenía razón su amigo Díaz al aconsejarle mesura en esa relación: está bien que te levantes a la porteña, que te diviertas y la disfrutes; hacés bien en protegerla, pero no cometas el error de enamorarte: cuando pase todo el lío, se va a ir, va a volver a su vida anterior. La pajarita volará otra vez al nido.

A. sabía que Díaz tenía razón y apenas si le protestaba por lo de "porteña", ese genérico con que los montevideanos designaban a los argentinos. Es cordobesa, aclaraba A., sin que esa distinción cambiara el hecho fundamental: B. se iría tarde o temprano y ambos lo sabían. Él podía sentirlo en esa reticencia fría y disimulada con urgencias que B. ponía a funcionar en los momentos finales de sus encuentros. Los pretextos se acumulaban como los granos de arena de un reloj, cayendo inexorables sobre A., quien siempre tenía la sensación de que B. continuamente se los inventaba como una sucesión de coartadas, de alivios, de paños tibios para su conciencia. Los niños, la hora, la posibilidad de que el marido la llamase —siempre llamaba a horas insólitas desde teléfonos remotos y asordinados por la estática o por toses de posibles escuchas agazapados en dependencias oficiales—, la obsesiva aprensión de ser descubiertos por compatriotas exiliados o espías del régimen, acechantes y dispuestos a señalarlos, todo formaba parte del catálogo de los miedos de B., de la sinuosa geografía del recelo. Así, tras la dicha sobrevenía el castigo de los escrúpulos, el flagelo del inútil remordimiento.

Me parece que la señora se está vengando, se animó a decirle Díaz, la tarde del primer desencuentro. A. había llegado preso del desánimo al taller del pintor, al refugio del amigo. Todavía lo embargaba una rabia triste, un rencor inútil que si algún destinatario tenía era él mismo y su torpeza por haber confundido la hora. Por eso no podía entender el comentario del pintor, enfrentado a la tela, a las manchas todavía frescas, a los trazos desolados de una construcción geométrica que de manera remota sugería espacios dilatados y vacíos, superficies vastas y páramos minerales en la paleta de azules cobaltos y grises plomo.

No entiendo a qué te referís —había dicho A., mientras contemplaba unos bocetos en carbonilla y pastel que quizá prefiguraban el óleo en el que Díaz trabajaba.

No hablaba de vos —aclaró Díaz, absorto en las profundidades del azul—, lo de hoy seguramente fue un accidente, un gurí con fiebre, unas medias que se corren. Pienso en el periodista, claro, que por alguna razón está pagando deudas no vinculadas a la política. No me cierra del todo esa historia de conducta y abnegación: no se trata de un exilio, para mí hay una separación. Y voy a decirte algo que, me parece, no sabés: el hombre vino este verano, cuando la señora descansaba en Solís y vos te calcinabas allá en el Prado, extrañándola y procurando no aparecerte para no perturbar a la familia. Ella te atajó con las hermanas y todo el revuelo del reencuentro, permitido en parte por ese afloje de la vigilancia en las aduanas. Probablemente el periodista no arriesgó tanto y se animó a cruzar en algún yate en viaje hacia el este, escondido en una bodega atestada de botellas de whisky y latas de caviar.

La revelación fue para A. como la fragmentación instantánea del mercurio de un termómetro que, destruido el precario tubo de vidrio que lo contiene, cae al piso y se transforma en misteriosas gotas relucientes y sólidas que ya no pueden volver a unirse. Con aire indiferente, Díaz esparció un poco de sombra siena sobre la paleta y consideró los espacios como si buscase una clave. A. continuó mirando atentamente el boceto y luego lo apartó, como si hubiera visto algo desagradable o prohibido y quisiera olvidarlo o fingir no haberlo contemplado.

¿Y por qué nunca me comentaste esa visita y cómo te enteraste?, preguntó con un tono bajo, deliberadamente calmo.

Supuse que ella te lo habría comentado —dijo el amigo, sin énfasis, como si le respondiera a un niño preguntón empeñado en una cuestión baladí.

Te pregunté cómo carajo te enteraste.

Díaz abandonó la paleta sobre un banco de trabajo y comenzó a limpiar un pincel, minucioso y experto. Desde la ventana del estudio podían verse el faro de Punta Carretas y la línea del horizonte, con los tonos apasionados del ocaso extinguiéndose entre brumas.

Solís es un balneario chico y su ambiente bastante cerrado. Un médico, desde Córdoba, pagó el alquiler de la casa, que pertenece a un escribano que casualmente es mi primo. La pareja discutió mucho para estar juntos solamente cuatro días. Parece que el periodista se fue sin despedirse y las cuñadas y sus maridos no hicieron nada para impedirlo. Tal vez quería que regresaran con él, tal vez ella quería que él se quedase.

¿Qué decís?

Nada, sólo especulo: te tiro ideas para que te despabiles. Lo que sé en realidad es poco y además me lo contaron. Conozco gente en Solís, aunque yo prefiero Las Flores.

Y eso de la venganza, ¿qué? Ahora A. no puede ver nada y todo lo que lo rodea es de una negrura absoluta, impenetrable. A tientas, como un ciego reciente y asombrado, se adentra en una oscuridad nueva que le atrae y a la vez espanta.

Está sintiendo el miedo a la verdad.

Díaz tapa el bastidor con una tela manchada, como si cerrase una ventana, el pasaje hacia las comarcas de su mente. Tal vez esté arrepentido de lo revelado, pero igualmente considera que debe seguir:

Tal vez no sea esa la palabra exacta. Se trata del orgullo. A lo mejor el periodista le era infiel allá, llegaba tarde, iba de copas. En las redacciones se trabaja hasta tarde, se conoce gente en todos lados, hay ambientes... ¿Qué se puede afirmar? En realidad no sabemos nada, pero podemos especular. ¿Por qué una señora de su casa no ha de tener debilidades? Yo creo que todo parte de él, de una situación previa: entonces aquí ella te encuentra y busca su revancha, ¿verdad?

Desde la negrura y sin mediar reflexión previa, A. supo que debía golpear al pintor cuando ya su puño se estrellaba contra el pecho del amigo. Antes de que pudiera lanzar otro golpe, el voluminoso Díaz lo había inmovilizado y estaba abrazándolo, con firmeza y a la vez ternura. Temblando por una emoción antigua, originada en la niñez, A. va ahogando la rabia en una oleada de nostalgia. Por un instante le es posible reencontrarse con su padre, muerto en un accidente absurdo cuando A. tenía doce años. Las imágenes del tranvía detenido y la sangre sobre la calzada se le confunden ahora con las manchas difusas que cuelgan de las paredes: los ojos húmedos le nublan aun más la visión y por un prodigio de la memoria, los brazos de Díaz son los de papá.

Mientras corre hacia el centro del pueblo, en el mediodía que ha comenzado a nublarse, A. puede sentir todavía aquella rabia triste y ese sentimiento no logra atenuar el miedo a no encontrarla, a que B., cansada de esperar, se desvanezca como un sueño. Ni siquiera las palabras de Díaz, luego de calmarlo, han de servirle ahora:

Nada es para siempre, muchacho, si no, para qué pintamos.

27

La mujer rubia, quien se había acercado a la mesa, le habló a B. de una manera rápida y cortante:

Señora, permítanos un momento. Tenemos que hablarle.

El hombre, tan expeditivo como la rubia, separó una silla de la mesa y se sentó sin ser invitado. B. los miró a ambos y pudo confirmar que los conocía. Eran compatriotas e integraban un grupo que desde hacía meses colaboraba con los expatriados y promovía denuncias en contra del régimen. Meses atrás la rubia le había hecho una breve visita para invitarla a una de las reuniones de trabajo y B. se había excusado por sus obligaciones con los niños. Desde entonces no había tenido más contactos, pero periódicamente recibía correspondencia con comentarios y consignas. Incluso, había recibido uno que denunciaba la detención y prisión de su esposo, junto con otras personas.

¿Espera a alguien, señora? —el hombre la interrogó con un aire casual, mientras la rubia ocupaba la tercera silla.

Le presento al doctor Dávila —dijo la rubia— es nuestro abogado. El aludido se tocó el ala del sombrero, para luego quitárselo. Le sonreía a B. con amabilidad, pero su indulgencia era falsa, afectada.

Con la señora Deboni ya se conocían, ¿verdad?, comentó el doctor, sin dejar de sonreír.

B. los miró a ambos sin responder. Pensó en A. y en la posibilidad de que justo en ese momento llegase. Pensó también en que si hubiese estado reunida con A., la situación hubiera sido peor.

Le telefoneamos pero ya había salido. El señor Rosas nos atendió. Suponía que estaba de compras en el pueblo —explicó la señora Deboni. Había un dejo sarcástico en su comentario. El doctor Dávila finalmente fue al grano:

Hay combates en todo el estuario, están llegando heridos a los puertos fluviales. La aviación leal ataca inclusive sobre aguas internacionales. En el puerto de la capital fondearon el sábado dos "destroyer" con cinco marinos patriotas muertos y decenas de heridos. A veinte quilómetros de aquí hay gente que nos necesita y el personal de los hospitales puede que no dé abasto. Usted debería comprender: toda colaboración nos resulta inestimable en estos momentos. El solo acto de recabar una nómina de sobrevivientes y difundirla por medio de los radioaficionados ya es una tarea vital: no se olvide que las líneas telefónicas con la patria están interrumpidas. Ya hemos hecho arreglos y nuestro cónsul en el litoral Oeste la espera con instrucciones. Puede partir de inmediato: vemos que tiene vehículo.

La rubia miraba a B. con indisimulada jactancia: podía sentirse superior y necesaria, abnegada y ejemplar. El doctor aprovechó la pausa y el silencio para volver a sonreír, ahora con evidente lástima. Ambos esperaban una respuesta apropiada de B., la oportunidad de confortarla con un agradecimiento mesurado pero firme, acorde con la hora dramática. Sin embargo, B. no aceptó esa especie de salvación. Habían llegado hasta allí solamente para dejar en evidencia su ruina moral. Tal vez, en esos meses, discretos informantes habían hecho acopio de indicios en su contra. Estaban al tanto de todas sus renuncias y del progresivo escándalo de su relación con A. En ese momento tuvo una imagen de sus hijos, correteando por el campo de Juan Rosas, completamente solos y a punto de asustarse. Sintió la repentina certeza de que Angélica la necesitaba.

No sé qué pretenden de mí, pero no voy a ir a ninguna parte ni a colaborar en nada. Yo a ustedes no los conozco —mintió, aterrada por la visión pero aún desafiante, íntegra. Por primera vez en muchos meses sintió un atisbo de respeto por sí misma. En la negativa estaba, por fin, la aceptación, difusa y plural, de lo que ella era o sentía realmente. Sabía que su actitud sería motivo de comentarios y que la señora Deboni habría de ser la primera en mentar el hecho central de la condena. No habían sido vanos sus temores: estaban perfectamente enterados de su situación y ahora todo lo que pretendían era dejarla en evidencia.

Nos sorprende usted, señora —enfatizó Dávila, sin perder un ápice de cordialidad engolada, untuosa—. La hora no admite excusas. No ha sido mucha su colaboración con nuestro comité y pensamos que esta era la oportunidad para que recapacitara. Todos nosotros hemos perdido algo en estos años aciagos que, gracias a Dios y al sacrificio de algunos hombres decididos y valientes, van a terminarse.

A veces no alcanza con asistir a misa y rezar, agregó la rubia, mirándola directamente a los ojos, midiéndola desde su calculado desdén.

Sabemos que ha sufrido, señora, intervino el abogado, cambiando la estrategia del asedio. La amenaza de la epidemia, la prisión de su esposo, la dura vida del campo. Piense: todo eso queda atrás. Podrá volver al país, a la seguridad. Sus hijos podrán educarse y la familia reencontrarse. Nos gustaría mucho que, al menos en el final de la pesadilla, ayudase a la causa.

Ahora, lejos de temer que A. llegase, B. ansió con todas sus fuerzas verlo aparecer entrando en la confitería. Necesitaba su mirada serena y la bondad de sus maneras para arrojárselas en la cara a la pareja, en especial a la Deboni. Esa actitud de ambos, insidiosa e hipócrita, era un calco de otras que ya la habían violentado. Podía imaginar a la mujer, una rubia del Barrio Norte, brindando con champán la noche en que otra rubia, la falsa rubia desclasada de Junín, les había hecho el bien de morirse.

Como en las impiadosas leyendas de las paredes que gritaban "Viva el cáncer", los festejos de aquella noche siempre le habían parecido un ejercicio de cruel frivolidad a la que su esposo no había estado ajeno. No brindando ni haciendo sonar la bocina de su automóvil por las lúgubres avenidas de una ciudad enlutada, sino poniendo a todo volumen el tocadiscos con el tango de Discépolo *Yira, Yira* —tan luego él, que detestaba esa música—, abriendo las ventanas del departamento de la calle Talcahuano para que el escándalo de su letra y sus compases quebrara la monotonía del comunicado oficial: "La Subsecretaría de Información de la Presidencia de la Nación tiene el penosísimo deber de informar al pueblo de la República que a las veinte y veinticinco horas...". Pero ni en el volumen de la música ni en la naturaleza de su contenido radicaba lo más inquietante: él había comprado exprofeso el disco y lo tenía guardado desde que los trascendidos sobre la salud de la mujer más amada y odiada del país hacían prever su muerte inevitable. Había sido la suya una actitud calculada, una celebración rebuscada hasta en el contenido reo y popular de lo cantado, hasta en la sacrosanta voz del que cantaba.

Podía recordarlo en la noche fría de aquel 26 de julio de tres años antes, exaltado y a la vez trémulo, sacando el pequeño disco de su escritorio y arrastrando el tocadiscos hasta ubicarlo cerca de la ventana. Lo ve febril y alentado por demonios recónditos desoyendo sus súplicas de cerrar las ventanas por el frío. Encorvado sobre el aparato inserta la púa en el surco y restriega sus manos con nerviosismo mientras el sonido gangoso de la grabación parece hendir la noche y el luto unánime que los envuelve. Después, como imbuido de una inédita devoción tanguera y sordo a sus ruegos de que por favor bajá el volumen que los niños duermen, intenta torpemente acompañar el canto sin conocer del todo la letra, salvo en el estribillo que acomete triunfal y fanático: "¡yira... yira..!". Entonces ella abandona el living-comedor, se encierra en el cuarto de los niños y abraza a Angélica que la mira con ojos asombrados mientras Manuel se tapa los oídos.

28

Cuando A. llega por fin a la plaza principal del pueblo, la fatiga lo agobia. Ha corrido sin detenerse más de veinte cuadras y necesita tomar resuello, recomponer el semblante encendido y buscar el hotel y la confitería. Si encuentra a B. va a rogarle que lo disculpe, que el tren se retrasó por un desperfecto de la locomotora. Está bañado en transpiración y con la camisa salida fuera del pantalón. Se siente ridículo y la angustia de llegar y no verla por un instante le enturbia la visión.

El mediodía se ha nublado por completo y un viento húmedo y frío cruza la plaza. En tanto que Aquiles recorre diez metros, la tortuga avanzará uno —piensa otra vez en la paradoja, porque el esfuerzo de la carrera le provoca extrañas asociaciones en su mente.

Mira hacia la fachada del hotel principal del pueblo, ubicado en uno de los lados de la plaza, junto al cine, al banco de la República y a la oficina de Correos. Es un edificio de tres pisos, envejecido y con un estilo indefinido que evoca la última arquitectura renacentista italiana mezclada con una cierta austeridad protestante. Las habitaciones que dan a la plaza tienen altas ventanas adinteladas con arcos de medio punto sobre los guardapolvos. Sobre el último piso, una cornisa profusamente ornamentada acumula relieves de escudos ovales con el monograma de la casa alternados con ramilletes de flo-

res rococó. Sobre la puerta principal, una desvenci-
jada marquesina de chapa sostiene las letras corpó-
reas con la leyenda Hotel San Juan, con las guías de
neón algo desprendidas. A la derecha de la entrada
se suceden unos ventanales cuadrados y simples,
alejados del estilo del resto, que corresponden a la
confitería. En la parte superior de sus vidrios, en letras doradas de estilo gótico, se lee: Confitería–Salón Familiar.

El color general del edificio es de un verde
grisáceo y enmohecido que bajo el cielo nublado
asume un tinte desolado, irreal.

Probablemente ya se haya ido, piensa A. y
no obstante, un débil latido de esperanza le enter-
nece la mirada. Sabe que de una manera absurda ha
hecho todo lo posible para llegar tarde a la cita, que
ha sido cobarde y que no merece ya encontrarla. Pero, como un jugador empedernido que siempre
confía en su suerte de la próxima carta, alienta todavía la ilusión de que B. esté allí, afrontando la demora con expresión de reproche, pero secretamente
dispuesta a perdonarlo.

Vuelve a ser un iluso y a creer en la posibilidad de manejar el tiempo y las circunstancias. Por
un momento ha perdido el miedo o intenta olvidarlo. Camina hacia la confitería con el paso lento y
firme de un posible triunfador, porque el naipe se
va a dar vuelta para mostrarle, al menos esta vez, los
mecanismos del destino en armonía con las razones
del corazón. A medida que se acerca la opresión de
la carrera va disipándose mientras imagina un cuarto en el Hotel San Juan, una bañera con agua caliente y espumosa y el lento desvestirse de B., sus
prendas cayendo una por una sobre el piso de ma-

dera antigua. Él ha dejado la chaqueta de tweed y el sombrero marrón sobre una silla y se desabrocha la camisa sin apuro, porque la tarde será para ellos y las urgencias de la capital pueden quedar atrás, al menos hoy, en ese día señalado para la ruptura que, quizá, pueda cambiar de signo, de naipe, de ineluctable especie.

Puede escuchar el triste fraseo del cello creciendo desde los corredores remotos y las ráfagas insistentes del viento del sur asordinar las notas e interrumpir la melodía del *Cuarteto en Re* de Borodin. Su mano traza un signo breve y preciso sobre el delgado papel de arroz, con el pincel blando cargado de pintura y la concentración exacta para que la inspiración fluya sin que medie tiempo alguno entre idea y ejecución. Hoy, además de amarla, va a dibujarla, va a reproducir su cuerpo inolvidable y agradecido con la sabia destreza de un maestro.

Ha llegado a la puerta de la confitería y no ve a B. en ninguna de las mesas. Unas pocas personas ocupan el salón: un par de jovencitas bebiendo granadinas y una pareja vestida con impermeables que lo mira con furtivo interés. Duda entre sentarse o ir hasta el mostrador y solicitar un refresco. Finalmente decide ir al baño y asearse un poco. No descarta que B. aún no haya venido.

29

B. sintió la absurda necesidad de ganar tiempo y de no seguir oyendo al abogado y a la señora Deboni. Con una disculpa inaudible se puso de pie y cruzó el salón hasta los baños. Sabía que no podía ganar tiempo alguno porque A. ya no vendría. No obstante, encerrada en el pequeño baño, maloliente y precario, lograría la calma necesaria para despedirse del par de insolentes y regresar a la casa.

Tal vez era ese el verdadero final, el de una mujer asustada, desilusionada y oculta en un retrete.

Se mira en el pequeño espejo y la imagen la sacude: está pálida y ojerosa y sus labios tienen un color terroso, enfermo. ¿Podría enfrentar a A. con ese aspecto? ¿Le diría por fin lo que había pensado decirle? Comprende que el desencuentro ha sido lo mejor, un final abierto como el de las películas europeas que le gustan a A., no el final feliz y acaramelado de las que le gustaban a ella, con Mirtha Legrand y Juan Carlos Thorry haciéndose arrumacos en una terraza nocturna.

Con desgano se cepilla el cabello y se ajusta los botones de la blusa. Con un resto de coquetería se pellizca las mejillas para darles un poco de color. En ese momento su único deseo es que al salir del baño y regresar al salón, A. la esté esperando en una mesa, calmo y jugueteando como siempre con los pancitos de azúcar. De ser así, no habría final, todo sería un comienzo, un subir otra vez las escaleras hacia el cuarto de la casa del Prado, la milagrosa posibilidad de olvidar el regreso, el temido adiós, la empecinada culpa.

Pero cuando B. vuelve al salón, solo ve a la pareja que la aguarda con el descarado desprecio aureolando sus semblantes. Sin saludarlos ni pagar su consumición, corre hacia la puerta, indefensa, extraviada, como si de pronto todo el lugar estuviera a punto de derrumbarse.

30

A. deja correr el agua en el lavatorio y con las dos manos se moja la cara y el pelo. Ha dejado la chaqueta y el sombrero colgados del perchero de la puerta y tiene la camisa entreabierta, por lo que el agua también le salpica el pecho transpirado. El agua es fresca y tiene la virtud de calmarlo, de serenar su ánimo lleno de dudas. Lo más probable es que B. se haya demorado por alguna cuestión doméstica, de lo contrario lo hubiera esperado en una mesa, hubiera estado allí al momento de su llegada. Es demasiado importante el encuentro como para someterlo a diferencias de minutos, a exactitudes.

Se mira en el espejo y se aprecia más recompuesto: ya ni el miedo ni Gauna pueden apartarlo del objetivo inicial del viaje: verse con B. y conversar sobre lo que sea, pero sobre todo, no perderse, tender otra vez los puentes, imaginar otra posibilidad que no sea la separación. Tal vez habiendo llegado al límite, puedan traspasarlo juntos.

Ahora, lo único que pide es que al regresar al salón, B. esté en una de las mesas, recién llegada, con una luz jubilosa reverberando en su rostro y un anhelo de tregua en la mirada.

Con prolija aplicación se peina, se seca con el pañuelo y se pone la chaqueta. Toma el sombrero y le sacude el polvo. Luego se sonríe ante el espejo, esperanzado, a punto de dar vuelta el naipe.

Regresa al salón con paso calmo, distendido. Por un instante siente un perfume familiar que se superpone a la pestilencia del olor a creolina que fluye de los inodoros. Mira hacia las ventanas y ve a través de ellas la plaza semivacía. La pareja de los impermeables está de pie, conversando en un tono bajo y mirando hacia la puerta, todavía abierta. El hombre ha puesto unos billetes sobre la mesa y tuerce la cabeza en un gesto contrariado. La mujer mira hacia A. y parece reconocerlo o al menos interesarse en él más de lo esperable.

A. camina hacia una de las mesas, confundido, incómodo: ha reconocido el perfume que todavía flota como un espectro en el salón casi desierto. Afuera, un viento repentino y un cielo plomizo se descuelgan sobre la plaza elemental. Seguramente en pocos minutos comenzará la lluvia y la tarde se disolverá en grises licuados, en verdes opacos. Una camioneta Studebacker pasa por delante de la confitería, acelerada a fondo y dando corcovos. De manera fugaz, A. distingue una silueta en la cabina: sabe que es B., alejándose.

31

Ha conducido a través del pueblo como una autómata, sin decidirse a tomar la ruta de regreso, dando vueltas por las calles humildes y planas lavadas por la lluvia. Ahora todo le parece de una cualidad pesadillesca, turbia: la confitería, la espera, el doctor Dávila y la señora Deboni, el pequeño baño, la dolorosa demora, el vacío de las mesas, la plaza barrida por el viento. Hay un solo hecho real: A. no ha venido, le ha fallado justo cuando más lo necesitaba. Eso no admite disculpas y ningún motivo puede justificar la ausencia.

Por alguna razón esa comprobación la alivia, le desprende el peso que había cargado todos esos meses. Es preferible la humillación y esa tristeza que está empezando a disfrutar, a la posibilidad de saltar al vacío, al hecho de no regresar a Buenos Aires. Esa lluvia que ahora cae le parece una señal, el signo de un designio superior que puede reencausar las vidas.

Le concedieron un año y el año ha pasado.

32

Ha salido de la confitería en el preciso momento en que la lluvia comienza y poco le importa mojarse. No ha tenido tiempo de gritar hacia la camioneta que se va perdiendo por una calle estrecha. La ve alejarse y consulta su reloj detenido. El destiempo de lo que no ha de cumplirse es el que controla, rige su existencia a partir de ahora. Cierra los ojos y escucha el improbable sonido del papel de arroz rajándose, de las tizas Goya resbalando sobre el papel Canson, de los golpes precisos y rápidos de Moore cayendo sobre Martínez, del chirrido de los frenos del tranvía 15, del cello sinuoso y bello que ejecuta el *Cuarteto Nº 2 en Re* de Alexander Borodin. Siente todo eso en forma simultánea y perfectamente clara, como si su cerebro fuera un espacio sin límites.

33

Se ha detenido junto a una pequeña capilla en las afueras de la ciudad, un construcción simple y levemente gótica, producto de los esfuerzos de algún arquitecto que hubiera conciliado los escasos fondos parroquiales con su gusto vocacional por los arbotantes y una humilde torre campanario abandonada por las gárgolas.

Nuevamente ha sentido la imperiosa necesidad de estar junto a sus hijos, de abrazarse a ellos y contarles que regresan a casa porque la pesadilla ha terminado, pero antes debe ver a un sacerdote que la confiese. Solo esa circunstancia podrá darle fuerzas para volver a mirarlos sin que la garganta se le anude. Es mentira todo lo que le han dicho, nada es producto del ciego azar o la veleidosa fortuna. Somos lo que alguien superior a nosotros ha dispuesto.

Me regocijo en tu voluntad, piensa mientras avanza bajo la lluvia, resignada y creyente hacia el pórtico de la capilla.

Pudieron más el remordimiento y la culpa, piensa A., guarecido bajo el alero del viejo cine del pueblo, las manos en el bolsillo y el sombrero empapado y chorreando agua al igual que la chaqueta de tweed. Desde la esquina opuesta al hotel, una figura avanza dando pequeños saltos para esquivar los charcos: es Gauna.

¿Qué pasó?, pregunta el extraño al llegar, interesado en el final de la carrera de A.

En el cine proyectan una copia nueva de *Casablanca*. A. mira las fotografías de algunas secuencias, enmarcadas con cartones fileteados. Al nombre de Bergman pintado con letras blancas sobre el vidrio le falta la "g". El programa se completa con *Ambiciones que matan*, de George Stevens y el noticiario de sucesos argentinos, seguramente y dadas las circunstancias, absolutamente atrasado de noticias. A. lo mira a Gauna y sonríe con tristeza:

Este puede ser el comienzo de una hermosa amistad, dice y se quita el sombrero para sacudirle el agua.

Gauna lo mira sin entender el sentido real de la frase, pero se siente gratificado, útil.

Parece que no vino, ¿verdad?, comenta con sincero pesar. Era buena mi estrategia, al final. Usted no se hubiera enterado y le iba a quedar la ilusión de que con una carta, una llamada, la reconciliación iba a llegar.

Tiene razón, Gauna. Ella no vino, responde A. y se acomoda el sombrero.

Tanto no demoramos, ¿no?, comenta Gauna para sí, interesado ahora en los afiches de las películas, en el reflejo de ambos sobre la puerta vidriada del cine. Frente a ellos, el automóvil azul con la pareja del bar, pasa lentamente. Por un instante Dávila y Gauna se miran, como si ambos intuyesen que habían llegado hasta allí para lo mismo.

La lenta tortuga ha derrotado a Aquiles: el movimiento no existe.

2

EL ARTE DE PERSEGUIR
UNA SOMBRA

Creía, con una tranquila contradicción, que
era el servidor sin voluntad de la fatalidad
(...).

William Faulkner

1

En mi humilde opinión, lo que ha movido la Historia ha sido el miedo —dijo el pintor, mirando más allá de los tilos y las pitas que rodeaban el jardín de la casa. El atardecer lo envolvía todo con una luz incierta que iba muriendo en fulgores esporádicos que atravesaban el follaje y dibujaban círculos amarillos sobre los senderos de piedra laja. Desde alguna habitación cercana, la voz de Bono se acoplaba con la de Sinatra en un dúo de laboratorio.

Piense en la pintura, por ejemplo, y repase las cavernas, nuestros salvajes y remotos antepasados, las huellas que hoy podemos ver, los trazos negros y naranjas, las escenas de caza, los animales, las manos, los cazadores mismos: todo es producto del atávico espanto ante lo que no se puede entender, controlar. La gruta de Niaux, en los Pirineos franceses, un vasto hemiciclo con tres quilómetros y medio de galería subterránea donde hace más de diez mil años los hombres cumplían ceremonias místico-religiosas. En ella hay cincuenta bisontes, caballos, cabritillas, ciervos, dibujados con trazos de indudable y rara maestría. Y todo eso conectado con Clastres, una sucesión de pasajes y nuevas galerías que se despliega a lo largo de otros veinte quilómetros. Allí no vemos dibujos reconocibles, salvo cinco animales y algunos trazos enigmáticos en las paredes. Pero hay algo mucho más conmovedor: las huellas de tres niños magdalenienses, intactas desde hace cien siglos, más de quinientas pisadas sobre arcilla o arena, pequeños piecitos que caminaron al alba de la historia. Las he visto y me han emocionado más que cualquiera de los bisontes, que todas las pinturas que puedan hoy colgar de los museos...

El pintor hizo una larga aspiración y miró el cielo, las nubes inflamadas por el sol bajo del otoño en mayo. Con un gesto estudiado y teatral se mesó la barba, apoyó su barbilla en el pulgar de su mano derecha y dijo:

La caverna es nuestro pasado, el inconsciente de la humanidad, la oscura argamasa de pulsiones que habitan dentro nuestro. El miedo nos ha permitido evolucionar y ha sido nuestro motor. Se sabe que el miedo es genético, una respuesta defensiva, un aprendizaje incorporado a nuestra herencia para permitirnos sobrevivir. Pero el arte, la guerra, el confort, desde cierto punto de vista han sido una invención del miedo —dijo, y con un dejo astuto, agregó—: La suprema creación del miedo ha sido Dios. Antes de adorar a un dios primero se le teme. Fue el miedo el primero en crear dioses —nos recuerda Petronio— "cuando el rayo descendía desde las alturas y las murallas conmovidas eran pasto de las llamas".

Los dedos del pintor ahora se posaron sobre su regazo: largos, huesudos y con una cualidad alada, volátil. Me miró sin verme, buscando las palabras que seguirían hilando su pensamiento pero olvidado ya de la pregunta que había iniciado la conversación. Era un hombre que promediaba los sesenta años, ya calvo pero todavía esbelto y bronceado, con una barba canosa y cuidada que contrastaba con la piel del rostro, curtido como el de un pescador. Cuando hablaba, parecía un actor entrenado por Lee Strasberg.

La soledad ante lo inexplicable nos ha empujado a tener visiones —dijo, ahora sí mirándome con interés—, a inventar una dimensión espectral y poblarla de ángeles y demonios, de seres terribles y vengativos, absolutamente incomprensibles y arbitrarios. Job, Abraham, Edipo, han sido testigos. En definitiva, estamos todavía en la caverna, somos esos tres niños recorriéndola. Ayer, millones de años atrás, era el frío o las fieras pavorosas, otras tribus, quizá. Hoy le podemos llamar guerra, hambre, epidemia, inocentes acechados por el mal que no merecen. Por supuesto que el arte puede ser testigo: una puerta abierta, un médico que llega cuando todo es inútil, un cadáver en el piso y un niño huérfano y tenemos un Blanes, aunque en él también está Caravaggio y todos los maestros del setecientos. Buonarroti trepado durante años a remotos andamios celebra la pintura y a Dios omnipotente, creándolo todo, inclusive el temor a Sí mismo. Aunque Miguel Ángel también celebró el cuerpo, esa gloria de músculos que parecen sostener toda la Sixtina.

Pero se sabe que Buonarroti se presentaba y firmaba sus cartas como escultor, por lo que el encargo del Papa lo atormentó en más de un sentido, incluso llegó a proponer que Rafael ejecutara esa obra desmesurada. No obstante aceptó el pedido y su riesgo no fue solo pictórico, fue moral. Piense en su ego y en las consecuencias de un fracaso. Bien, ese miedo lo salvó. Ahí tiene una prueba del poder de ese sentimiento tan ambiguo. Probablemente el arte en ese sentido sea cómplice, ¿verdad?

Yo asiento con un gesto vago y procuro reiterarle el motivo de mi visita, invitarlo a evocar una época más reciente: el año 1955 y un largo día de setiembre. Pero apenas si me permite interrumpirlo. Sus manos abandonan la quietud y se desbandan como pájaros trazando parábolas en un espacio cercano a sus ojos. Ya me han advertido que el pintor suele no escuchar o que probablemente finja la sordera. También me han hablado de sus obsesiones, en especial el miedo, y del gusto por la charla torrencial. Comentan que los últimos años han agriado su carácter, transformándolo en alguien dominado por los arrebatos de su ego.

Por eso, a la postre fue preferible escapar a eso que muchos llaman realidad, figura, forma —dice con énfasis, dibujando en el aire contornos vagos—. Hubo que dejar atrás el buen gusto burgués, los razonados dominios de lo promedialmente aceptable en los salones, la perspectiva y la superficie bidimensional y aprovechar el miedo en su más profunda pureza. Animarnos a expresar lo que somos sin pretensiones de que se nos entienda: la senda de la abstracción o lo no figurativo, todavía incomprendida por muchos en esta comarca tan de rigores constructivistas, bodegones o calles con fondo de puerto, fue una ruta posible porque no necesitó referentes, signos familiares, gestos o volúmenes reconocibles con comodidad. No obstante, fue y es difícil renunciar por completo a la figura, a lo reconocible como tal.

Le pregunto si él ha sentido el miedo, si cuarenta años atrás fue el miedo el que precipitó los hechos que quiero me evoque. Unos hechos que he conocido mal y fragmentariamente, mucho antes de pensar siquiera en escribirlos. Una historia que ha estado acechándome como una extraña herencia de recuerdos ajenos y versiones posibles que nunca se confirman o completan. Él se acaricia de nuevo la barba y por un momento creo que accede a responder mi pregunta.

Se ha sobredimensionado el heroísmo sinónimo de valentía —asevera y nuevamente me ignora, arremete con su afán teorizante—, pero el miedo ha sido más eficaz, pese a estar desprovisto del reconocimiento que adorna la virtud. El miedo del artista a la muerte —al olvido— o al fracaso genera la obra que es la suprema expresión del temor a la nada. Creamos porque tenemos miedo.

Ha pronunciado lo último con una certeza desencantada, invencible. Para subrayar que lo declarado es obvio, me convida con un tazón de nueces peladas, que siempre tiene a mano cuando pinta. Estamos sentados frente a frente, rodeados de aromas vegetales y sonidos de pájaros remotos, mientras la luz se va. Ahora, el dúo cambia y Gloria Estefan sustituye a Bono.

Abandona las nueces sobre la bandeja que él mismo ha traído, con las copas de oporto todavía intocado, y se pone de pie. Con un gesto me invita a pasar al taller. En algún lugar de la casa unos niños se persiguen y gritan simulando ser invasores del espacio.

Traiga la bandeja, vamos a estar mejor adentro, aunque tal vez mis nietos puedan entrar, ¿no? Son los hijos de Diego y heredaron sus travesuras —ahora sonríe por primera vez, con un resabio de picardía o inocencia que acaso añore.

Lo sigo y entramos en una habitación que en algún momento fue adosada a la finca sacrificando parte del jardín. Es una estancia amplia en la que un calculado desorden permite la convivencia de objetos y muebles diversos en una disposición casi escenográfica. De las paredes cuelgan bastidores con telas de disímil factura, simples cartones cubiertos de espesas capas de óleo y algunos dibujos al pastel enmarcados con simpleza. Dominante y central, sobre una biblioteca baja atestada de volúmenes y pequeños cacharros de barro o bronce, un retrato muestra al pintor joven y de semi perfil, en un gesto que evoca la serenidad y a la vez la firmeza. Los rasgos sobrios y afinados, la actitud de mansa entrega a la pose y una misteriosa luz que parece aureolar la cabeza le agregan a la composición un toque místico, que se contradice con la indumentaria del modelo: camiseta blanca y el asomo de un pantalón de sarga color crudo. Entre las manos, un sombrero de ala ancha marrón con cinta negra, completan la extraña vestimenta.

Le comento que me impresiona el retrato y sus ojos se iluminan mientras toma un control remoto y apaga el estéreo. Luego quita unos libros de un sofá para que pueda sentarme. Enseguida abre la boca de una salamandra instalada entre la biblioteca y su sillón y busca papeles para encenderla.

Para los que alguna vez pensaron que el gordo Díaz no era pintor. Por ahí tengo alguna otra prueba —comenta con voz cascada, casi con un dejo orillero.

Pensé que era un autorretrato, le señalo como elogio y como expresión de ignorancia, sobre todo de su obra.

Le repito, detrás del arte está la sorda certeza de que todo se nos va escapando y que los días son como números, cifras que van sucediéndose y tragándose a sí mismas. El retrato ha sido una manera tradicional de expresar esa desesperación.

Acaba de encender el fuego y el resplandor le bailotea sobre el rostro. Ha tomado unas astillas y las va metiendo en la estufa. Luego y sin que medie un criterio selectivo, manotea un volumen de la parte baja de la biblioteca y lo entrega a las llamas.

Los he leído todos —se disculpa— y si estaba en un lugar tan inferior, seguramente era muy malo. Pero no hablemos de libros, que los empecé a leer con seriedad un poco tarde, ya que antes preferí cultivar esa ignorancia tan prestigiosa, tan común en este país, la de estar informados absolutamente sobre todo sin saber en profundidad nada sobre nada. A usted le gustó el retrato del gordo Díaz y por delicadeza me lo atribuyó. En verdad era, soy, un mal dibujante, por lo que si hubo autorretratos al final corrieron la misma suerte de ese libro que ahora arde. Es cosa seria y misteriosa perseguir nuestra propia imagen.

Hizo una pausa en la que pareció buscar con ahínco algo que justificara ese silencio. Se rascó otra vez la barba y me miró con una expresión desolada. Después sus ojos erraron por la habitación, como si presencias invisibles que solo él pudiese advertir, lo distrajeran.

Todo lo que el arte puede darnos es una coartada —murmuró con desencanto—, la ilusión de que algo de nosotros puede perdurar. Lo afirmó Picasso: el arte es una mentira que nos permite acercarnos a la verdad, o al menos a la verdad que nos es dado alcanzar a nosotros. El artista debe acertar con la manera de convencer al público de la total veracidad de sus mentiras. Pero el artificio no debe notarse, ¿verdad? Para mí, lo que Picasso dijo fue que la mentira del arte sirve para confesar una verdad, para referir o mentar algo que de otra manera sería incomunicable.

Le pregunto si el miedo del artista se justifica en esa mentira, por no quedarme callado, por intentar que me considere al menos en las pausas del monólogo. El pintor me da la espalda y revuelve en la biblioteca, tantea los lomos como un ciego que busca en las tinieblas. De pronto tose y se dobla, se encorva y por primera vez me parece un hombre frágil, vencido. Su empaque es una pose y su indiferencia un sistema defensivo.

Rembrandt... —murmura y se endereza, como si la mención de ese nombre le infundiese nuevas energías tras el sofocón.

3

La obra de Rembrandt —dice el pintor y parece estar viendo ese posible conjunto— incluye más de seiscientos óleos, unos mil quinientos dibujos y cerca de cuatrocientos grabados. Hay allí más de noventa autorretratos. Durante toda su vida buscó su rostro con obsesión, yo le diría que hasta con delección, reproduciéndose a sí mismo desde la juventud hasta la ancianidad. Tal vez sea el único pintor reconocido que ha convertido un género pictórico en una verdadera autobiografía.

El pintor se ha vuelto y con toda naturalidad prepara otro libro para arrojar a las llamas. El de ahora es un volumen encuadernado en cuerina roja. Lo va a introducir en la salamandra, pero algo lo detiene. Por un momento lo hojea con interés, lo sopesa y luego lo cierra. El mecanismo es teatral: necesita ocupar sus manos para poder hablar.

Pero ese itinerario de Rembrandt tiene aspectos que van más allá del mero gesto del pincel —dice, complacido, didáctico—. Si observamos el primer intento documentado, el de Kassel, ¿lo ubica?, podemos encontrar la fascinación por el autodescubrimiento. El joven Rembrandt se muestra como un adolescente con la frente cubierta de rizos y la mirada oculta: es, por expresarlo crudamente, un maula que no se anima ni a asomarse. Pero, apenas meses después, en el famoso —y hermoso— retrato de la Mauritshuis, ya le vemos como un joven elegante y tal vez arrogante, un pillado, como decíamos antes. El hijo del molinero de Leiden luce como un aspirante a genio. En el primer intento podemos apreciar cierta honestidad que en parte puede ser desprejuiciada y en parte humilde, pero que convence. En el otro se impone un rol. Debemos esperar a que el artista descubra su propia nariz, prominente y central en los sucesivos intentos posteriores. La nariz de Rembrandt es la llave hacia la efigie grave, reconcentrada, que va engordando y envejeciendo, asumiendo bigotes, sombreros, gorros de pintor o de dormir, miradas fijas en un imaginario punto que podría encontrarse en nuestra propia mirada, un más allá no definido por los sucesivos planos y claroscuros, gestos o disfraces, copas de vino, perros, bastones, texturas de telas... Siempre he creído que detrás de toda esa pasión por copiarse, perseguirse, escrutarse, existe una patética necesidad de permanecer, una imperiosa búsqueda de eternidad. El miedo y la eternidad lo han guiado en esa indagatoria de sus rasgos, sus estados de ánimo, los pliegues de su piel y la luz de sus ojos siempre inteligentes, un poco cínicos y tristes al final, con esa tristeza propia de la sabiduría ante lo inevitable. Claro que es algo serio un autorretrato. Un verdadero misterio del arte.

4

Como si lo afirmado le hubiera demandado un gran esfuerzo, no solo intelectual, sino físico, el pintor se derrumbó literalmente sobre una *bergère* ubicada en diagonal con el sofá. Buscó su copa con la mirada pero finalmente no la tomó. Le ofrecí nueces y las rechazó con un gesto.

Indiferente a Rembrandt y las versiones de su rostro, le pregunté si el nombre de un tal Alcides Gauna le decía algo, si conocía o había conocido a alguien llamado así. Él me había invocado a un genio y yo le respondía con un interrogante casi policial sobre un individuo al que me habían presentado en la redacción de un semanario para el que colaboraba. Le mencioné una carta, recibida hacía unos meses desde Paysandú, firmada por Gauna. En ella me contaba, en párrafos confusos y apresurados, una historia que transcurría en un día de setiembre de 1955. Pensaba que los sucesos que refería podían resultarle interesantes a un escritor. Se ofrecía, si en algún momento yo me avenía a viajar al litoral, a darme más detalles sobre la historia. "No sé escribir bien ni me queda tiempo para hacerlo: estos son lo hechos, haga con ellos lo que quiera."

Los hechos eran fragmentarios, incompletos, y aludían a un joven de veinticinco años, empleado público, dibujante gráfico y vocacional pintor. También mencionaban a una mujer extranjera,

exiliada con sus hijos pequeños y a su esposo periodista y perseguido político. Gauna describe el romance entre el pintor y la mujer del periodista y se
confiesa en cierto sentido responsable del "último
desencuentro" entre ambos. Finalmente reconoce
que tal vez la historia no sea importante para nadie
y que quizá su memoria la haya preservado por puro capricho, "por esas rarezas que tiene el olvido,
que nos roba recuerdos que no deberíamos perder y
nos regala otros que de tan lejanos hasta nos parecen ajenos".

Mientras escucha mi relación sobre la carta,
el pintor parece indagar en su propia memoria, buscando una conexión entre esos acontecimientos y
mi visita. Un signo de fastidio parece agobiarlo,
hasta que por fin, iracundo, me interrumpe:

Bien, bien... vaya por favor al punto. Qué
tengo yo que ver en todo eso, qué pretende...—se
interrumpe abruptamente y se incorpora como si de
repente hubiera decidido poner fin a la entrevista y
echarme a la calle. No obstante toma su copa de
oporto y se la bebe de un solo trago. Ahora me mira y un breve temblor en sus párpados expresa una
secreta turbación.

Creo percibir en esa pausa una remota desazón, antigua y metódicamente domesticada. Con
temor de fastidiarlo un poco más, le explico que por
lo que me ha contado Gauna, aquel joven pintor
enamorado era él y que de ser así me gustaría mucho conocer su versión de la historia.

Pasaron algunos segundos antes de que respondiera. Vi cómo sus manos se aferraban a sus ro-
dillas y luego alisaban el cabello inexistente en su
cabeza. Ahora parecía alguien que estuviera regre-

sando de un lugar muy lejano dentro de sí mismo y fuera reconociendo, con pavor, que el tiempo no lo había esperado, que había transcurrido indiferente a su ausencia. Finalmente preguntó:

¿Cómo dijo que se llamaba? Me refiero al autor de la carta.

Cité otra vez el nombre y bebí media copa. Lejos, en la casa, un teléfono sonaba con insistencia. Desde la salamandra, el rumor del fuego nos envolvía con un siseo casi animal.

Aquel año, entonces... yo era tan joven, murmuró para sí y la tensión en su semblante pareció aflojarse. Entre unos cacharros de la biblioteca buscó una pipa, curva y con reborde de marfil en la boca. Se la colgó de la comisura y miró en torno buscando tabaco, se palpó los bolsillos de la camisa a cuadros escoceses y de uno extrajo un sobre de Half-Half. Con aplicado esmero cargó la pipa y con el dedo índice apisonó las hebras.

Regalo de Barcala —aclaró y encendió la pipa. En ese momento desde el jardín entró una mujer de unos veintipocos años, alta y con el cabello corto y oscuro. Traía en la mano un teléfono inalámbrico. Me dedicó una breve sonrisa y luego le tendió el aparato al pintor: Perdón que los interrumpa; es para vos, papá. Flavio.

Le presento a mi hija Amparo —dijo el pintor y nos envolvió con una nube plateada y aromática. Amparo me tendió su mano y nos miramos con mutuo interés.

¿Qué quiere Flavio?

No sé, atendelo, está ahí, papá.

Es mi *marchand*, un incapaz aprovechador e inoportuno gracias a estas maravillas tecnológicas.

Con seguridad llama de su celular y es probable que vaya conduciendo. ¡Hola, hola!, Flavio, me estás persiguiendo demasiado hoy...

Usted es periodista, ¿verdad? —inquirió Amparo, casi por compromiso, mientras su padre se alejaba, llevándose con él a Flavio. Le respondí que lo había sido pero que ahora sólo estaba allí en calidad de curioso. Ella tomó el comentario como una especie de chiste piadoso o como la suprema encarnación de la modestia. También su padre me había tomado por lo que no era. En realidad había llegado con el único afán de desenterrar del polvo de los años una historia, sin importarme demasiado si su propietario iba a prestármela. Por otra parte, nadie me obligaba a mí a escribir sobre nada, salvo esa oscura pulsión por someterme a la embriaguez de una narración que se me imponía y me llevaba la mayoría de las veces casi por los pelos.

Podía el pintor suponer que nuestra charla era una suerte de reportaje o un amable diálogo en el que yo debía de permanecer en silencio escuchando sus teorías sobre el miedo, la pintura, la verdad y la mentira. Suponía mal.

Procuré ir al grano para desbaratar la confusión y sin énfasis alguno le advertí a Amparo que simplemente era un escritor y que solo quería charlar un poco con su padre. No había ningún reportaje, ni tampoco la intención de escribir su biografía. Eso pareció desconcertarla.

¿Charlar sobre qué? —fue tajante y denunció un cierto fastidio en el tono. Era una típica hija tardía, que tal vez estuviera incómoda en la casa, cuidando a sus medio sobrinos y aterrada por lo que el padre pudiese decidir hacer sin consultarla. Parecía tener una básica desconfianza hacia los extraños, en especial hacia los que indagaban en el pasado.

Disculpen —interrumpió su padre—, Flavio no me dejaba. Me contó que en Gomensoro aparecieron algunos tranvías sin firma, pero no duda de que son míos. Mañana vamos a ir a verlos. Tendió el teléfono a Amparo y con un gesto me invitó a regresar al sofá.

¿Nos traerías café, hija? —pidió con tierna autoridad. Amparo me miró, todavía con recelo. Por primera vez me sentí un intruso, una especie de fisgón. "Tranvías", pensé. Desvié la mirada hacia el retrato de Díaz: el pintor joven y su hija eran extraordinariamente parecidos. Tal vez allí había estado el verdadero talento de Díaz: anticipar ese parecido cuarenta y pico de años antes.

5

No deja de ser cierto que lo que quiere saber probablemente hable más de usted que de mí. Lo he oído todas las veces que me lo preguntó y si no le he respondido es porque me he tomado tiempo para saber qué hay verdaderamente detrás de su insolencia —dijo el pintor, con una expresión afable que sus palabras parecían desmentir. Me estaba obligando a justificarme, a mostrarle un plan:

Por alguna razón estrafalaria usted cree que yo estoy dispuesto a hablar de cosas que quizá sean —y lo son— muy personales. Alguien le escribe una carta y a partir de ese hecho infiere que un gran baúl ha de abrirse para que yo saque, una por una, las prendas del recuerdo y las luzca para dar satisfacción a su curiosidad.

El pintor había sido concluyente y ahora yo tenía dos caminos: irme o insistir. También era posible invocar la otra razón poderosa, además de la carta de Gauna, para que su historia me hubiera impulsado a conocerlo, a invadir su intimidad y a indagarlo como estaba haciéndolo. Él quizá no podía entender mis mecanismos, la extraña conjunción de casualidades que me obligaron a llegar hasta esa casa del Prado casi como un mendigo. Tampoco podía imaginar que más de veinticinco años atrás, yo hubiera oído parte de la historia, en una sola noche, cruzando el Río de la Plata en el *Ciudad de Buenos Aires*. Entonces no soñaba que sería escritor y lo que escuché me interesó como anécdota de un viaje de regreso desde Buenos Aires, como ingrediente de una travesía sin camarote en un atiborrado barco de jueves santo. La carta había rescatado aquella larga conversación del olvido, porque la memoria —como había dicho el propio Gauna— suele ser extrañamente selectiva. Era como si ese relato hubiera quedado guardado en un cajón especial, sin motivo alguno, y al leer yo la carta de pronto se hubiese abierto, como se abren esas trampas en el piso y de golpe nos caemos y al levantarnos resulta que estamos en otra parte.

Pero yo no estaba dispuesto a jugar mi segundo naipe todavía. Primero debía aprovechar la relación de Gauna, dejar que sus palabras fueran más elocuentes que mis argumentos subjetivos y hasta ahora, nada convincentes. Decidí cambiar de táctica y le advertí que de cualquier manera, con lo que había leído en la carta me alcanzaba para escribir una historia. También le expliqué la imposibilidad de un encuentro personal con el hombre de Paysandú: a las pocas semanas de haberme escrito, Alcides Gauna había muerto de un cáncer terminal. Eso pareció descolocarlo:

No sé qué sabe, pero es probable que los hechos, como usted afirma, no le alcancen. Y de ninguna manera voy a permitirle usar los nombres —dijo el pintor, ahora preocupado, tenso.

Estaba admitiendo que el baúl existía y que había quedado bien guardado y cerrado con candado. Con indiferencia admití que en realidad los nombres no me interesaban, que lo importante era, otra vez lo recalcaba, la historia. Podía designar a los protagonistas como referencias de un plano geométrico, A y B, y la narración no iba a perder interés. Podía también —y eso se lo dije mirándolo a los ojos, como lo hacen los fanáticos o los cínicos— cambiar lo que se me antojara y reducir la historia verdadera a una simple conjetura. Además era probable que la versión de Gauna ya fuera infiel a lo sucedido, porque habían pasado demasiados años. De manera tal —concluí— que solo él podía establecer los límites de la verdad. Acto seguido me puse de pie, con la intención de concluir la charla, agradecerle el tiempo que me había dedicado e irme.

Usted practica el arte de perseguir una sombra —afirmó, desolado y perplejo. Era, tal vez, una buena definición. Después ensayó un gesto de aceptación o de tregua.

Han pasado demasiados años —agregó, con un hilo de voz—, pero debe comprender que si hay algo que no existe es el olvido: lo ha expresado maravillosamente Borges. Y ello es así porque la memoria teje alianzas secretas con un olor —Proust, claro—, con los colores inolvidables de un atardecer sobre el río o con la impiadosa lucidez de un moribundo. Entonces un buen día esos hilos se tensan y vuelven a unir los trozos de una foto que una vez rompimos o simplemente guían la mano de alguien que decide escribir sobre asuntos ajenos como propios. Es como esos objetos que alguna vez se hundieron en el fondo de un lago y por alguna razón escapan a su trampa de lodo y líquenes para emerger y desbaratar la calma de la superficie.

Tuve la absoluta convicción de que un dique se había roto y que lo que buscaba iba a comenzar a surgir desde el abismo de la memoria del pintor. Bebí el resto de mi pocillo de café y esbocé una especie de descargo, porque también podía imponer la piedad para mitigar mi insolencia. Le dije que mientras él descreía del olvido yo podía escribir y luego olvidar. De eso se trataba: la escritura no era otra cosa que un arduo esfuerzo para ir construyendo una historia que después de terminada, impresa y editada, se debe olvidar para iniciar otra. Para mí, escribir es olvidar, concluí, sin esperar que me entendiera.

Eso es una estúpida mentira —exclamó por fin, colérico, fastidiado—. Escribimos, pintamos, componemos una milonga o un adagio, para escapar del olvido, para que algo de nosotros perdure. Volvemos al principio: el miedo a la nada que nos aguarda nos impulsa a crear. Lo peor es creer que la obra es apenas expresión de un momento. Es la insensata búsqueda de la eternidad. Creo que su cinismo o su estupidez no tienen parangón.

Con decisión se incorporó y caminó hacia su banco de trabajo y tironeó de uno de los grandes cajones laterales. Una vez abierto buscó dentro de él hasta encontrar una carpeta de medio *watman*, atada con cordeles en los extremos. La trajo hasta donde estábamos y la tiró con violencia sobre la mesa con los pocillos de café, los que por poco se desparraman sobre el piso y mi pantalón. La carpeta estaba forrada de papel madera manchado por la humedad y sus esquinas romas evidenciaban los años y el uso. En una etiqueta amarillenta con filete azul, el nombre completo del pintor escrito con caligrafía gótica remitía a asuntos escolares o al prolijo protocolo de una academia.

Ábrala y empecemos esto por el principio —dijo el pintor, sacudiéndose de las manos el polvo de la carpeta.

6

La abrí y lo primero que vi fue una reproducción, asombrosamente fiel, del *Gilles* de Watteau. El misterioso personaje estaba contemplado en todo su patetismo, en especial sus zapatos de raso blanco con moñas rosadas. La expresión del rostro —entre sereno y estúpido, una especie de Gioconda masculina en el Louvre— también estaba lograda. Era un trabajo minucioso y ejecutado al óleo sobre tela, cuyo extremo superior derecho, donde deberían verse las copas de unos árboles y el asomo de una nube blanca sobre un cielo celeste sucio, estaba inacabado, apenas insinuado por unas pocas pinceladas. El resto de los personajes que acompañan el motivo central del payaso o arlequín, habían sido emulados con elogiable técnica.

Debajo del *Gilles*, apareció otra reproducción, el retrato de una familia: la esposa de pie junto a sus dos hijas, el esposo casi de espaldas en su escritorio, todos rodeados de muebles y objetos personales y un aire general de tensión, recelo e incomodidad, más allá de la aparente serenidad burguesa de la escena. Conocía esa imagen reproducida también al óleo. El pintor notó mi duda:

Degas, *La familia Bellelli*, un *tour de force* del realismo y la observación. Hay cuatro generaciones allí, porque la baronesa, Laura Bellelli, está en ese momento embarazada y el dibujo que hay en la pared, detrás de ella, es el abuelo del propio Degas, y Laura su neurótica tía. Observe al padre, el abogado y periodista Gennaro Bellelli, casi de espaldas, distanciado de las mujeres de la familia. Y Giulia, la hija que está sentada: parece que le faltara una pierna. Una composición inaudita e inquietante, ¿verdad? Si sigue revisando encontrará también Pissarros, los jugadores de naipes de Cézanne, el *Viejo guitarrista* de Picasso, *Cristo presentado al pueblo*, de Rembrandt. Tenía dieciséis años y Vasena me enseñó los trucos. Le confesé que no era buen dibujante, pero sí un excelente imitador. Nunca pude encontrar adecuadamente mis propios trazos, con los ajenos me iba mejor. Vasena era un simple profesor de dibujo liceal, pero sus manos eran prodigiosas. En su academia me sentía bien, era todo como un juego. Le convendría seguir mirando.

La insistencia sonó casi como una orden. Seguí sacando láminas —parroquianos de Barradas, candombes de Figari, una calle bajo la lluvia que era de Arzadun— hasta llegar a una *gouache* en tonos sepia, con toques de pluma. Era un desnudo femenino, un cuerpo esbelto y estilizado, posando sobre un simple diván. La cabeza estaba girada e inclinada hacia abajo y el rostro semicubierto por una cabellera lacia y rubia. De esa cara solo eran visibles —y apenas insinuados— un ojo con una pupila clara y un párpado ensombrecido y el asomo de una boca semiabierta, detenida en una palabra posiblemente terminada en "o". El cuerpo se apoyaba sobre las nalgas y los brazos estirados hacia atrás, con las manos firmes y abiertas sobre una base acolchada. Las piernas se doblaban en una "v" invertida, graciosa y a la vez sensual, porque al estar una sobre otra, proponían un roce de piel y una leve molicie de placer. Una luz lateral y mórbida parecía llegar desde una ventana remota, que la filtraba a través de cortinados o persianas.

Tal vez la figura no estaba dibujada con la destreza de las otras, pero poseía una fuerza que parecía surgir de sus pequeñas, indisimulables torpezas. Aparté el dibujo y lo acerqué para verlo mejor. Tenía una fecha: "abril de 1955". Las pruebas empezaban a aparecer. Acomodé el resto de los dibujos dentro de la carpeta y la cerré: me interesaba solamente el desnudo y su posible protagonista. Me animé a preguntarle si estaba tomado del natural.

Está tomado de la mente —evocó el pintor y sonrió con un dejo de melancolía—. Un pobre intento que la piedad ha salvado: se ocultó entre los demás, sobrevivió. Hubo otros menos explícitos. De alguna manera era un robo, una improvisación a partir de los ejercicios de la academia. Entonces yo ya no pintaba así. Lo mío eran manchas, superficies intrincadas, texturas que pretendían exponer el revés de mi propia piel o el color de tumultuosas pesadillas. Pero me impuse un regreso a lo reconocible y recuperé el dibujo. Claudiqué por desesperación. En realidad ella tal vez no era así. Volvemos a la mentira del arte.

Le pregunté quién era ella, ya que por primera vez la nombraba. Se encogió de hombros y retiró el dibujo de mi vista. Cuando lo tomó pensé que terminaría en la salamandra, pero vio mi cara y finalmente lo devolvió a la mesa, dado vuelta. Volvió a sonreír, por compromiso. Tomó la carpeta y la guardó en el cajón. Insistí con la pregunta porque él necesitaba del asedio, de la coartada de mi insistencia para hacerlo hablar.

Probablemente hacía muchísimos años que no miraba ese dibujo y ahora su memoria estaba cotejándolo con el recuerdo de la mujer real. La mentira del arte le hacía trampa y el pintor dudaba entre la imagen dibujada y la verdadera. En todo caso, en el momento de la reproducción él la había visto así, con ese gesto y esa luz, en esa actitud, fijándola para siempre como una moneda que se hubiera acuñado en su cerebro.

Era joven y bella y estaba asustada, dijo con lentitud, para que la emoción no lo traicionara. Pero, de una manera casi sutil, irradiaba valor. Era leve sin ser frágil, sensual y a la vez contenida. No sé, tal vez para mí era así porque no hubiera podido verla de otra manera. Me refiero a que los otros a veces son una proyección de una determinada necesidad nuestra. Cuando la conocí yo no tenía referentes anteriores, quiero decir que no tenía experiencia en ese tipo de asuntos complejos. Habían existido amoríos de barrio y una relación con una condiscípula de Bellas Artes, los pocos meses que concurrí. Lo de ella era otra cosa. En esa época le llamábamos *affaire*, porque era una palabra extranjera y truculenta.

Está bien, yo quiero escribir sobre ese *affaire*, le dije con simple honestidad. Era precisamente eso lo que me había fascinado de la historia de Gauna, su clave prohibida y el escenario en que se desarrollaba. Sobre todo la época, el país de entonces. Me pareció que era el momento de hablar de la epidemia.

No sé porqué, pero tengo la sensación de que usted no está interesado en lo esencial y quiere hurgar en lo accesorio —dijo el pintor, procurando encender nuevamente su pipa.

Pude decirle que, mal que le pesara, se trataba de mi historia, y por tanto yo decidía qué lugar iba a ocupar cada cosa. Pude agregar luego que él no estaba en condiciones de imponerme nada, salvo su versión de los hechos para que yo decidiera qué hacer con ellos. Lo veía fumar y mirarme con aprensión, convencido de que yo era un animal depredador y rapaz, un chupasangre despiadado que le hacía abrir cajones, sobre todo mentales, que no debían abrirse. No iba a desbaratar esa impresión porque de alguna manera me beneficiaba: su miedo a que tergiversara los detalles iba a obligarlo a dármelos uno por uno.

Le pedí que entonces me hablara de lo esencial, ya que lo accesorio sería fácilmente inventado por mí.

Habría que hablar de la época, de aquella vida todavía fácil y esperanzada —comentó para sí, como si buscase un sendero para regresar al pasado—, ¿qué edad tenía usted? Era un niño, claro, no puede recordar.

Me vi niño y atrapado en una túnica demasiado almidonada, jugando bajo los plátanos del patio de un Jardín de Infantes. Estaba con otros niños que cantaban una canción referida a un barco. Yo no sabía la letra, pero en el estribillo se mencionaba "el barco de Perón".

¿Quién era Perón? ¿El capitán? ¿Un ogro? ¿Un pirata?

Pasaron años antes de que lo entendiera. No obstante, ese era uno de los recuerdos más vívidos que tenía de esa temprana época escolar. También puedo evocar la latente amenaza de una palabra, tan extraña como *affaire,* cuya resonancia todavía me provoca escalofríos: "epidemia". En esos dos episodios, aparentemente inconexos —un gobernante extranjero depuesto y refugiado en un barco y una enfermedad que cobraba sus principales víctimas entre los niños— podía estar la razón de mi interés en la historia del pintor y la mujer del dibujo. De una manera sesgada, sinuosa, esa es la clave. En la correspondencia de dos acontecimientos que suceden en el mismo año yo encuentro una oscura ligazón, porque mi memoria los ha guardado juntos, misteriosamente superpuestos. No es extraño que trece o catorce años después, ya lejos del jardín de infantes, yo retomara —sin saberlo— otra vez ese vínculo, sobre un barco de bandera argentina —¡un barco!— conversando con alguien que por increíble coincidencia habría de anticiparme parte de los hechos que la carta de Gauna me había impuesto. El pintor se equivocaba: claro que podía recordar.

7

Era otro país aquel, todavía creyente de sus fuerzas —evocó el pintor, mientras servía whisky en unos vasos pequeños y de cristal grueso, como los que ofrecen los cantineros de Nueva Orleáns o Boston: vasos que no admiten hielo y se beben de un solo trago. Había sacado la botella de un destartalado bargueño de roble y era evidente que estaba escondida, porque toda la actitud del anfitrión denotaba un proceder furtivo y un aire de travesura.

Mi presión no me deja en paz —agregó, tomando su vaso como si amenazara un brindis— y mis hijos tampoco. Me vigilan con el pretexto de salvarme de un ataque de asimetría, una maldita hemiplejia, y están atentos a los más imperceptibles síntomas preguntando con disimulo. Amparo es más frontal: si ahora nos viese, despejaría rápidamente la mesa. Ya lo del oporto no le gustó nada. En cambio Diego es más sinuoso, un poco como su madre, al igual que el mayor, Fernando. Son buenos hijos todos y ya han hecho su camino, que no ha sido fácil. Podría hablarle horas sobre ellos, pero a usted le interesa el pasado, según ha insistido. Espero que apruebe la reliquia que acabo de servirle: me la regaló el bueno de Carbajal hace unos cuantos años, pobre, y todavía me dura. Es como un talismán.

Era un *Old Parr* cuya etiqueta decía 12 Years Old, con lo cual lo de reliquia era indudablemente verdadero. Al mencionar a sus hijos el pintor me había tentado con otra bifurcación en la charla, otro paréntesis que yo podía anticipar porque estaba informado: el mayor vivía en Canadá y tocaba el violonchelo en la Sinfónica de Toronto, mientras que Diego, el menor de los varones, era un oscuro profesor de matemática prematuramente cargado de problemas. Había tenido un fugaz momento de gloria al competir en un programa televisivo de preguntas y respuestas sobre la vida y la obra del filósofo y matemático Blaisse Pascal.

La debilidad del pintor era Amparo, hermanastra de Diego y Fernando, quien junto con su marido se habían mudado al caserón del Prado para evitar que el pintor vendiese todo y se instalara en un hotel. Ahora lo tenían prisionero, arrinconado en esa habitación rebosante de objetos, muebles diversos y olor a tíner.

Bebí un largo sorbo del talismán líquido y rogué para que su magia fuera capaz de esfumar las reticencias del pintor.

La década del cincuenta quedó definida por el episodio de Maracaná —dijo, iniciando la evocación por donde menos lo esperaba—, circunstancia harto conocida e interpretada de manera cargosa por nuestros filósofos en pantuflas. El error fue inferir a partir de ese excepcional episodio deportivo una constante aplicable al fútbol y al país en general. El optimismo se vendía en las farmacias y la guerra de Corea permitía que durmiéramos sobre los sacrosantos laureles. El peso era fuerte y la gente ahorraba: como exagera un amigo, atábamos a los perros con chorizos. La política era el arte de lo posible y la artimaña del bienestar. Nos dábamos lujos: ese adefesio llamado Colegiado, aplicable en ámbitos disciplinados y protestantes, como Suiza, pero instalado aquí solo por las consecuencias de la envidia y el celo de los hijos de don Pepe al primo Luis. Como se aprecia, una simple rencilla dinástica reflota el viejo sueño de Batlle y Ordóñez para entregar el gobierno a un confuso comité. Por supuesto que Herrera, antiguo enemigo de la idea, al final la apoyó, porque vio que era su posibilidad de llegar al poder. Como resultado, la Constitución preparó el camino de la decadencia en el país. Se habló del agotamiento del modelo y la palabra "crisis" asomó en el horizonte.

En el cincuenta y dos mi tío, quien conocía a don Andrés Martínez Trueba, presidente de la República desde el año anterior, me consiguió un empleo en la Intendencia, para que dejara de ser un artista en ciernes y me convirtiera en burócrata rentado. Yo ya había abandonado la Facultad —una vez soñé con ser arquitecto— y con Bellas Artes no me llevaba. Hacía algunos trabajos para una imprenta y originales para un estampador de telas. Escuchaba jazz y me gustaban los deportes, en especial el boxeo. Por entonces había pintado algunos cuadriláteros medio expresionistas, con mucho rojo y negro y masas confusas de púgiles que se diluían bajo la luz de un enorme foco cenital. Por lo que luego descubrí, el boxeo es un tema infrecuente en la pintura. De la misma manera que no abunda en la literatura. A mí me gustaba ir a tomar apuntes al Boston, donde se entrenaba Dogomar Martínez. Me acuerdo de sus peleas con Bastidas.

El pintor hizo una pausa y bebió un sorbo corto de whisky, paladeándolo como si hiciera siglos que estuviera necesitándolo. Otra vez se estaba apartando del tema de mi entrevista, como si ante cada intento mío por focalizar la cuestión le abriese senderos por los que su mente se escapaba, divagante y caótica.

En el cincuenta y tres lo fui a ver pelear al Luna Park de Buenos Aires, contra Archie Moore. Pensé en hacer algún boceto y llevé un bloc y lápices, pero no pude ni sentarme. Fue tremenda la paliza que se llevó. El largo de los brazos del negro fue decisivo. Me parece verlo todavía a Martínez, bajo aquellos golpes y la gritería de la popular apoyándolo, pese a que muchos despreciaban a los uruguayos porque desde acá se conspiraba contra el General. Lo cierto es que el nuestro guapeó en aquel ring que nunca pude pintar. Ahí se popularizó la famosa frase "valiente el uruguayo". Es curioso, ahora me doy cuenta, cómo el miedo salvó a Martínez de la lona.

Regresaba a su obsesión por el miedo y de paso esbozaba una etapa de su obra. Tranvías, boxeadores y rings luego de imitar a los maestros. El pintor desplegaba su enigma como una tela que iba tejiéndose a sí misma. La máquina del tiempo nos había retrasado dos años antes de la fecha señalada y el *Old Parr* prometía nuevas maravillas. Pensé en un certero golpe de timón y por un momento consideré regresar al barco, ya que de navegaciones se trataba. En el *Ciudad de Buenos Aires* yo había escuchado otras campanas que bien podía hacer sonar ahora. Mi memoria también operaba mecanismos de bifurcación y hasta era proclive a reparar en detalles que al pintor podían dejarlo desguarnecido. No obstante, preferí postergar la crueldad y tomar otro sorbo de whisky.

8

Le pregunté qué había sido de sus boxeadores y dónde podía ver alguno. Lo dicho pareció no llegarle, o decidió no responder. Estaba ensimismado en su última reflexión sobre Martínez:

No tenía chances de sobrevivir de pie y, con esa obstinación típica de sus ancestros ibéricos, el muchacho soportó los diez rounds hasta conocer, por fin, el verdadero rostro del boxeo, su propio rostro tumefacto. Salió del exitismo y la medianía del medio —no había nadie aquí capaz de pegarle a Martínez de esa manera— y se enfrentó, no a un estadounidense superior a él física y técnicamente, sino a su propio miedo. Ya ve que siempre volvemos al principio. El miedo, no a los golpes o a perder —perdió, nomás— sino a no resistir de pie, a defraudar al público, a que pudieran sospechar un mínimo atisbo de flojera. Su miedo más profundo lo sostuvo por encima de la lona, que es el abismo para el púgil. Lo tiró dos veces el negro, que antes de comenzar la pelea le había regalado un clavel rojo que traía prendido en su bata. Pero su miedo, no su valentía, como todavía andan escribiendo por ahí, fue la que a la postre lo salvó. Fuimos casi cuatro mil fanáticos a verlo y otros tantos lo recibieron en el hidropuerto de CAUSA, el martes siguiente a la pelea. La gente lloraba y le agradecía y él saludaba y se abrazaba con sus padres. Fue el máximo homenaje a un perdedor que yo haya visto.

Y es mentira que yo no haya pintado ese ring, admitió el pintor con gesto abatido, lo hice en un arrebato de admiración y de impotencia: un borrón negro con salpicaduras de ocre y violeta, los pantaloncitos claros como un signo en movimiento, un jeroglífico de sangre que prolonga lo que pudo ser un brazo y allá, en ese ángulo que el foco apenas ilumina, un atisbo de dignidad, una mirada empequeñecida por los golpes, el óvalo de un rostro que la negrura amenaza tragarse y que sin embargo no desaparece, está ahí casi sobre la fecha que sucede a la firma.

De un sorbo el pintor terminó su vaso y lo depositó con rápido movimiento sobre la mesa. Todavía estaba en el Luna Park o en su taller de entonces. Alguien escribió una vez que el largo o breve proceso de pintar un cuadro es el momento de construcción de esos momentos futuros en los que la pintura será contemplada. Le cité la frase y le pregunté dónde estaba ese ring que con tanto detalle me había contado.

Me habían dicho que ese no era un tema pictórico —respondió con desdén— siempre en este país hay mediocres encargados de advertirle al artista qué cosas pueden o no pueden hacerse— agregó, con cierta rabia. No obstante ya había pintado unos cuantos, como antes había pintado tranvías, los que tampoco encajaban en el gusto. Los boxeadores quedaron por ahí, en regalos ocasionales o en pago de corbatas o favores. Solo el del Luna Park sé dónde está: vaya al Palermo Boxing Club y busque en la oficinita cerca de los vestuarios. El neurótico de Flavio quiere recuperar la serie completa: nunca le dije dónde encontrar el principal y a quiénes les di los otros, ese es asunto concluido, jamás pinté boxeadores, ¿verdad?

Por alguna razón evidente y poderosa, la obra anterior a 1955 del pintor ya no le pertenecía: estaba extraviada en ese pasado que él se resistía a convocar. Tal vez la clave estuviera en los tranvías, pero indagar sobre ellos equivalía a facilitarle una nueva vía de escape. No obstante, con parsimonia bebí otro sorbo del regalo de Carbajal y le advertí que la década del cincuenta era también la de los tranvías y los ferrocarriles nacionalizados y que púgiles derrotados y tranvías envejecidos podían ser un anticipo de la decadencia que a la larga sobrevendría.

9

En el año cuarenta y tres —recordó el pintor—, cuando yo tenía doce años, mi padre murió atropellado por el tranvía 15, que iba de Belvedere a Pocitos. Estábamos en Agraciada y Tapes y de repente cruzó sin mirar, creo que porque vio a alguien que iba por la vereda de enfrente. Todavía hoy me angustia, no la muerte, esa muerte tan absurda, sino la combinación de momentos y de factores. "Espérame", dijo y se lanzó a la calzada como un autómata. "Rovira", gritó, "pagame". El tranvía 15 y alguien llamado Rovira, confabulados en el tiempo y en el espacio, para matar a papá. Piense en la acumulación abrumadora de coincidencias: ese Rovira le debía plata al viejo desde hacía años y nunca más se habían visto. Mi padre tenía una ferretería en Belvedere, era un hijo de emigrantes húngaros moderadamente pudiente y a Rovira lo conocía del barrio: era abogado y jugador y los dos simpatizaban con Frugoni. Pero esa mañana el tahúr reaparece, se materializa ante mi padre quien al verlo no puede contener el impulso de al menos sopapearlo. Se oyó el clan-clan de la campana y el chirrido del freno mientras la mole roja y amarilla aparecía quién sabe desde dónde, para llegar a esa cita absurda, puntual y guiado por eso que llamamos destino. En la confusión posterior, no recuerdo que nadie llamado Rovira se acercase. ¿Lo vio papá realmente o era alguien parecido? Esa posibilidad es todavía más inquietante, ¿verdad? Créame, por años lo busqué a ese tipo, siguiendo los datos y las señas que me dio mamá, y nunca lo pude encontrar. Y algo más para que se asombre: el apellido del chofer del tranvía, ¿sabe cuál era?: "Romay". Un anagrama de "Moira". Ramón Romay, no me lo olvido más.

¿De qué decadencia me hablaba? —preguntó el pintor y golpeó su pipa apagada contra el borde de la mesa.

10

Acompáñeme al sótano —propuso el pintor y tomando la botella y los dos vasos me indicó con una seña que lo siguiera. "Tranvías y boxeadores", volví a repetir mentalmente. Luego supe que la versión de Gauna seguiría intacta, porque el pintor no iba a contradecirla: solo le interesaban los aledaños de la historia, el antes y tal vez el después. Esa certeza me llegó como una mera intuición, una imagen percibida solo con el rabillo del ojo o el pálpito irracional de un jugador de dados.

Salimos al jardín y lo atravesamos como dos gatos furtivos. La atmósfera estaba fría y el aroma del humo de la salamandra se había esparcido por entre los senderos marginados de plantas de hortensias, hibiscos y arbustos de lavandas. Al llegar a la entrada posterior de la casa torcimos a la derecha hasta llegar a una puerta de hierro, pequeña y cerrada con pasador y candado.

Podríamos bajar desde adentro —advirtió—, pero por aquí es mejor: vamos a evitarnos la requisa de este valioso líquido y el rezongo. De paso nos ahorramos preguntas y recomendaciones, además de zafar de algún comentario inútil de parte de mi yerno. En fin, usted comprende —agregó mi anfitrión, dándome la botella y los vasos para poder abrir el candado con una llave que colgaba de su cuello sujeta por un cordón de cuero trenzado y disimulada bajo una cruz de plata.

La puerta se abrió con un quejido de herrumbre y enseguida bajamos por una escalera estrecha y de madera. El pintor tanteó en la pared hasta encender unas lámparas bastante anémicas pendientes del techo.

El sótano era una estancia amplia y de techo bajo, sostenida por columnas de hierro fundido que culminaban en capiteles ornamentados empotrados en el cielorraso. Como era previsible, había allí una profusión de trastos, bicicletas desarmadas, muebles desvencijados, cajas de cartón, camas turcas, implementos de jardinería y la inquietante presencia de un bote panza arriba, despintado y reseco. Había también pilas de revistas atadas con hilo sisal, cajones de fruta repletos de libros, una estantería adosada a una pared con piezas de barro y cerámica, copias en yeso de esculturas clásicas y un enorme espinazo que parecía de tiburón. En un rincón, un maniquí de sastre montaba guardia, cubierto con un poncho de lana marrón. Del muñón del cuello emergía, macabro, un cráneo pequeño y amarillento, que no era humano.

El lugar estaba invadido por el olor a encierro mezclado con el del vino en reposo y la humedad. Por supuesto que allí abajo había frío y la precaución del pintor de bajar la botella había sido acertada. Por lo que podía verse, vivía rodeado de despojos.

Estos son los dominios del tiempo —declamó el pintor, ensayando el gesto ampuloso de un guía en Pompeya—. La arquitectura actual ha eliminado los sótanos y las buhardillas. En los apartamentos, sobre todo, solo se vive el presente, lo inmediato y cotidiano. Alguien debería reflexionar sobre esa simplificación de nuestra morada. Esta casa me ha pertenecido desde que nací, lo cual también es excepcional. Amparo quiere que la vendamos y nos mudemos a la costa: en uno de los apartamentos que su madre le dejó, sin pensar en otra cosa que abolir recuerdos, perderlos para siempre en la mudanza. Voy a resistir, por supuesto. Además, aquí los intrusos son ellos, sin contar que más de una dama que conozco me daría gustosa refugio. Como debe usted saber, me casé tres veces y de mi última mujer, la madre de Amparo, hace dos años que enviudé. Otro accidente, brutal y absurdo, en la Ruta 1. Viajaba sola de noche y piensan que se durmió sobre el volante. Tal vez el miedo sea tener la absoluta certeza de que el tranvía y el tahúr pueden volver a citarse. Perder a Irene me devastó: era joven, inteligente y hubiera estado conmigo hasta el final. O al menos eso era lo que yo esperaba.

Yo debería haber preguntado sobre esa relación, interesarme por su dolor y lamentarme por su suerte, aunque eso equivalía a seguir postergando las respuestas que me interesaban. Por lo que sabía, Irene no solo era joven e inteligente, sino que además su familia era adinerada. Con ella el pintor había viajado lo suficiente como para conocer los originales de los cuadros que una vez había reproducido. Voces insidiosas llamaban a Irene la beca Guggenheim del pintor y sus prolongadas estadías en Cadaqués, Nueva York o París, el "dulce exilio" de un falso radical. Pero ahora eso no era relevante: estaba en un sótano frío, aguardando una revelación del pintor, algo que justificase haber abandonado el confortable ambiente de la salamandra para descender a esa especie de catacumba doméstica. Y sin embargo, el tiempo transcurrido desde el atardecer había ido modificando mis expectativas iniciales, esa vanidosa esperanza de que invocando una carta y ciertos recuerdos personales alguien iba a abrirse de par en par para colaborar con mis obsesiones.

Acaso el pintor estaba diciéndome todo lo que yo quería saber, pero lo hacía a su manera, en su discurso sobre el arte o sobre el miedo, en la mención de sus matrimonios o mostrándome la carpeta de dibujos. Tenía que cambiar la táctica, dejarlo perderse en las circunvalaciones de su mente y seguirlo. Adivinando mi incomodidad, el pintor explicó:

Desde que era un niño el sótano este me ha cautivado. Pero no crea que aquí pinto, sería absurdo. ¿Siente ese aroma? Es el harriague que reposa. No lo convidé porque todavía le falta un poco de estacionamiento. Lo hago yo mismo, como me enseñó el tío Esteban y no aprendí. No en ese momento y a esa edad: sólo después, cuando tuvo sentido y necesidad y él ya no estaba. Tuve que recordar cómo se hacía, porque estaba harto de la pintura y las artes gráficas, la maldita imprenta que solo me daba deudas. Me había separado de mi segunda mujer y tenía una relación bastante conflictiva con mis hijos de la primera. Me mudé para aquí y mamá me recibió sin hacer preguntas. Fíjese qué deprimente: un hombre hecho y derecho regresando al hogar materno con todos sus bártulos y un segundo fracaso a cuestas. Me salvó el milagro de las uvas y ese otro milagro que fue Irene.

Esquivando unos bultos cubiertos con lonas, que sin duda eran muebles, llegamos al extremo opuesto del sótano. Apiladas en forma horizontal, como en una bodega, un número variable de botellas ocupaba toda una pared. Frente a esa cava doméstica, una pequeña puerta lucía un rótulo pintado con esmerada letra afiligranada: "Cuartito Azul". Bienvenidos al tango, pensé, mientras el pintor hurgaba dentro de una maceta en busca de otra llave. Tuve que admitir que el aroma del vino era prometedor y que esa era una noche de bebidas, aunque al reposado harriague lo prefería en la mesa. Por ahora me bastaba seguir con el viejo y dorado *Parr*.

Hace tiempo que no venía por aquí y celebro que su visita me haya animado —admitió el pintor y su voz me pareció agobiada y a la vez decidida. Abrió la puerta y se apartó para que pasase. El cuarto era pequeño y no tenía casi muebles: apenas una pequeña mesa, un taburete y un armario simple de madera rústica. Nada había allí de color azul y a juzgar por lo que la escasa luz me permitía observar, la habitación no distaba de ser una especie de desván en desuso. Del techo pendía una lámpara con pantalla de tulipa y cadenilla. El pintor tiró de ella y la encendió: me pareció ver alimañas en el piso corriendo en retirada. Luego cerró la puerta y quedamos de pie junto a la mesa, confinados en el cuarto vacío. Por primera vez desde que llegara sentí el peso de estar ante un desconocido. Por alguna razón, temí. Si yo verdaderamente estaba persiguiendo una sombra, debía estar preparado para su sinuoso vagar que podía desvanecerse en la negrura.

Ahora va a tener que ayudarme. Deje la botella y los vasos y vamos a correr ese armario. Es la única manera de pasar del cuartito azul al amarillo

—dijo el pintor y me sonrió con ese aire distraído que a veces oculta a los excéntricos.

Sin mucho esfuerzo empujamos el armario y dejamos a la vista otra puerta, despintada y sin ningún rótulo. El pintor la abrió sin necesidad de llave y me indicó con un gesto que entrase. Tres puertas, luego de tres bebidas distintas, me parecieron un juego cabalístico obvio. Le comenté la coincidencia y me asomé al prometido cuarto amarillo. El pintor accionó otro interruptor de luz y una nueva estancia, ahora mucho más amplia, se materializó para mi asombro.

11

Mientras el pintor cerraba la otra puerta, observé con avidez el interior sin decidirme a entrar. Un taburete alto, una mecedora, una mesa baja cubierta de pomos de pintura, pinceles, trapos manchados y dos paletas con óleo reseco de varios colores, bastidores recostados a una pared, un calentador eléctrico de resistencia y un camastro cubierto con una manta artesanal y algunos almohadones. Sobre un caballete, totalmente oculto por un lienzo claro, la forma de un rectángulo apaisado de al menos un metro y medio de base postulaba el secreto de una obra en progreso ¿Cómo era posible pintar sin luz natural? Otra lámpara de luz escasa y pantalla de latón esmaltado descendía desde el techo sostenida por un cable renegrido y retorcido. Las paredes estaban pintadas a la cal y el piso era un damero de baldosas grises y amarillas dispuestas en diagonal. En esa primera visión el lugar me pareció una especie de simulacro urdido por un impostor. Todo lo que estaba allí era como una escenografía, algo armado de manera deliberada para inquietar.

Mi padre le había comprado esta casa a un individuo italiano vinculado al fascismo —explicó el pintor, quien adivinó mi curiosidad—. Este cuarto fue construido en el año veintiocho o antes —yo todavía no había nacido— y se supone que era un refugio camuflado, la sede de una logia. Se comentaba que el dueño era un espía de Mussolini.

También hay otra versión que remite a un simple escondite para el producido de un robo que nunca llegó a realizarse. Papá encontró los planos de un banco del Paso Molino, ocultos bajo una tabla del piso de la planta alta. Todo eso es probable pero ya es historia, si bien yo he preservado los fines secretos del lugar. Bienvenido al país de nunca jamás.

Con un gesto me invitó a pasar. En ese momento vi los pequeños focos dicroicos alineados en un *reel* adosado al cielorraso. "Pero no crea que aquí pinto, sería absurdo", había advertido cinco minutos antes. Escuché el ruido de los vasos y luego el del tapón vertedero de la botella. El pintor me ofreció dos medidas y él se conformó con media. Miré el bulto tapado por la tela y su cara me expresó que eso, por ahora, no me interesaba. Busqué un ventanuco de ventilación, temiendo un cuarto hermético, una sucesión de cajas chinas sofocantes. Las puertas se habían terminado y allí estábamos los dos, de pie junto a la mecedora y bajo una luz miserable. De pronto me sentí atrapado por un mecanismo que no entendía y a la vez fascinado por una posible sucesión de descubrimientos: el cuarto secreto y oculto, el cuadro tapado. Sin preámbulos le pregunté qué había debajo del lienzo y por qué me había dicho que allí no pintaba. El pintor dejó su vaso sobre la mesa y se reclinó con gesto fatigado sobre el camastro, ofreciéndome la mecedora. ¿Dormía a veces allí?

Es cierto, yo aquí no pinto, sólo contemplo. Mire esos pomos, están resecos. Allí debajo —señaló el caballete con el bastidor oculto— ya no hay nada que agregar. Llega un momento en que no podemos hacer más nada. Cuando Monet, ya anciano, pintó los famosos nenúfares de su jardín de Giverny, lo alentó la obsesión de salvarlo todo: las flores, los reflejos, la reverberación de la luz sobre los colores, las imperceptibles ondulaciones del agua, la transparencia que posibilitaba ver el fondo del estanque. Quería rescatar del olvido y el aniquilamiento lo esencial de aquel lugar que él había construido embalsando artificialmente el agua de un río y que en ese momento final de su vida era lo más importante que poseía. Entonces no estaba sólo pintando: le estaba agregando a lo visto sus propios recuerdos y toda la melancolía de saber que a la postre, esa luz, esa atmósfera tan cambiante que con tanto fervor él y todos los impresionistas habían pretendido atesorar en sus telas, iba a hundirse irremediablemente en la negrura. ¡Se da cuenta, Monet quería disolverlo todo en la luz porque temía a la oscuridad que le aguardaba! Cuando se persigue la luz, también se busca la sombra, estimado amigo —me advirtió el pintor, acusándome con una mirada cómplice, inteligente y despiadada.

Otra vez habíamos regresado a la pintura y a su erudición. Desde la nariz de Rembrandt a los ojos de Monet, el pintor me paseaba por su laberinto y proponía el escenario de imágenes que lo ilustraban. Por decir algo le pregunté si alguna vez había copiado a Monet.

Claro que no —repuso con veneración—. No se lo puede copiar a Monet, como tampoco a Van Gogh: no admiten discípulos ni escuelas, solo falsificaciones. Aunque hay algo que sí he tomado de Monet y es lo que justifica que estemos ahora aquí, delante de ese bulto tapado. A Monet poco le interesaba el motivo pintado, lo que verdaderamen-

te le importaba y quería representar era lo que existía entre ese motivo y él. En mi humilde opinión
ahí se encuentra el misterio del arte. Y esto nos lleva a algo un poco más cercano y personal: qué puede existir entre mi historia, el peculiar episodio de
mi vida que pretende que evoque y su necesidad de
escribirlo. Sería muy bueno que indagáramos en
eso.

De una manera magistral y sutil, me obligaba a enfrentarme a los motivos últimos de mi presencia allí, porque para contarme su versión del relato de Gauna, tarde o temprano yo iba a tener que
entregarle a cambio la materia esencial de lo que habría de escribir para luego olvidar. Acaso, ese también era el precio por quitar la tela que cubría el
bastidor.

12

Con un teatral sentido del *tempo*, el pintor se puso de pie y encendió los focos dicroicos pendientes del techo. Una instantánea claridad transformó el cuarto en un espacio hiperrealista, en el que cada objeto, cada baldosa y cada centímetro de pared adquirieron una cualidad casi obscena. Bajo esa luz despiadada, sobrenatural, me asaltó una sensación de irrealidad similar a la que experimentamos cuando estamos durmiendo en una habitación en penumbras y alguien de improviso abre la ventana para que la claridad nos agreda.

Monet jamás soñó con una luz así, comenté como inútil mecanismo defensivo. El pintor ordenaba los pomos resecos y las paletas con pintura vieja y resquebrajada. Me miró sin responderme. "Aquí no pinto, sólo contemplo."

Tomé mi vaso y bebí un largo sorbo. Podía empezar a contarle la travesía en el *Ciudad de Buenos Aires* y mi encuentro con la hija de la exiliada y el periodista. Al menos sería algo, una posible conexión, la demostración de que el tranvía 15 podía tener otros recorridos, menos definitivos, pero igualmente inquietantes. También podía invocar otros pasajes de la carta de Gauna, en especial los referidos a sus miedos, no a los del artista, sí a los del enamorado de entonces. Pero eso sería hablar de él cuando esperaba que yo hablase de mí.

Lo que me estaba pidiendo era una contraseña que nos vinculase. Tenía que probarle que yo era un artista como él y que eso me daba derecho a establecer una relación entre su historia y mi necesidad de contarla. Solo que sus certezas no eran las mías: yo solamente tenía el recuerdo, indeleble y vago de una noche en un barco cuando una joven adolescente como yo se había sincerado para cumplir un pacto lúdico, sin motivo y porque sí, al referirme un episodio de su niñez que sucesivas averiguaciones habían ido enriqueciendo con detalles y significados.

Cuando recibí la carta de Gauna, las dos mitades del relato se completaron y su versión definitiva solo necesitaba el testimonio del único protagonista vivo a quien yo había podido encontrar.

Le dije, finalmente y sin mirarlo, que para mí el tiempo era una dimensión misteriosa, que la Historia, el calendario y los relojes tendían a simplificar. A través de lo que quería contar intentaría demostrar que el devenir y la linealidad del tiempo podrían ser nociones precarias y engañosas. Existían bifurcaciones, enlentecimientos, merodeos circulares y retornos. Para hablar de eso me serviría del relato de una única jornada del año que le ha sido dado a dos personas para que se conozcan, se enamoren y luego se pierdan el uno del otro para siempre.

La única explicación que podía darle para que eso me obsesionara y me impulsara a escribirlo todo de una vez no pasaba por las categorías racionales o por su excéntrica teoría sobre el miedo como motor creador. Simplemente, debía hacerlo, estaba de manera casi compulsiva incorporado a mi existencia como la respiración o el sueño. No me interesaba, como a Monet, qué relación existía entre el motivo y yo mismo; solo era capaz de admitir que esa relación era inexorable. Le expliqué todo eso sin el menor énfasis, como si fuera un asunto burocrático en el que las almas no estuvieran comprometidas. Él me escuchó y bebió de su whisky, absolutamente interesado y atento, de pie ante el enigma que el lienzo escamoteaba. Luego comentó:

Todo ese año y el día que lo resume, mi memoria los ha sepultado bajo el peso de otros acontecimientos, quizá no menos significativos. La mente nos hace trampas y entrevera los naipes. Tal vez yo recuerde que por esos días, Rocky Marciano y nuestro conocido Archie Moore pelearon en Nueva York por el título mundial de todos los pesos y que ganó el blanco, defendiendo su corona por última vez. Incluso es posible que evoque los festejos bajo un día de lluvia, la algarabía por la caída de Perón que transformó esta ciudad en un aledaño del Barrio Norte. Son imágenes inconexas, que a usted no van a servirle. Lo demás es como un vacío, la huella de un dolor que no es el dolor mismo. En cuanto a ese Gauna, no se fíe demasiado: no sé qué pudo contarle, fue alguien a quien después nunca más vi.

Por enésima vez le pregunté por ella y si alguna vez había intentado volver a verla. La luz me molestaba, como me fastidiaban el trapo sobre el cuadro y la mecedora. El pintor nuevamente fingió no oír:

Todos, en algún momento, postergamos una posible felicidad, o la ilusión que nos crea, por miedo a que esta en realidad no llegue o no cumpla con la esperanza que sobre ella tenemos. Tal vez, en ese aspecto, toda felicidad sea un acto de valentía.

Hace muchos años un hombre al que conocí en un viaje me dijo que la tragedia de su vida era recordar, con obsesivo detalle y lucidez, aquellos momentos en los que no se había animado a ser feliz. Fíjese qué extraña apreciación: no hablaba de episodios tristes ni de situaciones de congoja o aflicción. Se refería a la posibilidad perdida, al instante fugaz e irrecuperable en que había renunciado, por las razones que fuesen, a la esquiva ocasión de la felicidad. No se trataba de la felicidad perdida. Mucho peor, era la felicidad evitada, postergada, agostada antes de nacer por ese infalible censor que es el miedo. Son infinitas las coartadas que nos empujan a pasar de la tentación de ser felices. Y en este país tan conservador, si algo nos enseñan de pequeños es a introvertir el goce, a evitarlo por el temor a que nos desborde y no sepamos luego cómo vivir sin él. No quiero distraerlo con el aspecto religioso de ese renunciamiento, en la culpa y el pecado. Somos una sociedad profundamente hipócrita que siempre prefiere ocultar aquello que la libera.

Por un momento pensé que descubriría el cuadro, como si con ese gesto pudiera inaugurar una nueva realidad u otro sendero en su laberinto. Después dijo, sin énfasis y con una modulación sombría en la voz:

De alguna manera, sobre eso es que debería reflexionar si quiere llegar a la esencia de lo que realmente sucedió. Sigo pensando que no es sobre mí que usted quiere escribir. Anímese, como Rembrandt, a ver su propia nariz —me aconsejó y con un ademán de ilusionista, quitó la tela que cubría el cuadro.

13

El gesto del pintor fue una manera de arrojarme la historia sin necesidad de contarla con palabras, de confirmar o negar la versión de Gauna o de impedir que le refiriese la conversación del barco. Tal vez esa noche yo había llegado como un enviado del pasado, alguien a quien él había esperado cuarenta años para que lo liberase. Cuando vi el cuadro lo comprendí instantáneamente.

Lo primero que me impresionó fue su paleta: una combinación de tonos bajos en la gama de los marrones y grises, en la que por contraste, un rojo bermellón con veteados de verdes se instalaba como centro cromático. También había negros, violetas, malvas, carmesíes y un amarillo enfermizo, como hecho de pústulas que manaban podredumbre. Esa conjunción imponía un clima nocturno, un abismo indefinido de planos sesgados y trazos breves que podían remitir a unas vías o al geométrico tendido de caminos que se perdían en un horizonte enrojecido, difuso. Por superposición de planos de color y densidad de matices, la composición fragmentaba el espacio y proponía fisuras, pasajes a otros planos más intrincados, oblicuos.

Para apreciar el motivo —de alguna manera debo aludirlo— necesité alejarme un poco y evadirme del entorno, sobre todo de la mirada del pintor, escrutando la mía para descubrir en ella otros significados de la obra. Desde cierta distancia, el fondo y los intrincados planos que lo conformaban, establecían una suerte de escenario lúgubre, atardecido, sobre el que se destacaba la masa roja, cuya textura era de una carnalidad obscena y vibrante. Entonces, como si el alejamiento produjese un milagro óptico, aparecía el tranvía, algo escorado y ominoso, sus líneas rectas y su contorno punzante, emergiendo desde los ocres y el plomo de los grises. Sus ventanas ciegas eran como los ojos vacíos de un monstruo plural que hendía la atmósfera, que escandalizaba la serenidad de los malvas y rasgaba negruras levemente invadidas por el fucsia. Sobre un penacho de amarillos anémicos, una pincelada breve y exacta, se alcanzaba a distinguir el barrote del uno y por detrás, fundido como en una niebla violácea asomaban los quiebres simples y como hilvanados del número cinco.

Todo el espacio del cuadro estaba organizado en función del tranvía, que parecía reiterarse luego en breves esbozos que asomaban en otras zonas. También había una silueta que repetía la del desnudo realizado al *gouache*, su misma postura e inclinación, el mismo gesto sensual ahora simplificado en las únicas curvas reconocibles de la composición. Los dedos de una mano, borroneados de negro y rojo y un pequeño rectángulo cuya textura remitía al revés de un naipe completaban las referencias más o menos reconocibles. El resto era una sucesión de páramos, de lejanías y vegetaciones calcinadas por un sol ausente.

Era una pintura sobrecogedora, amenazante.

14

El jardín secreto —dijo el pintor y apagó las luces dicroicas, por lo que la habitación pareció desmaterializarse junto con el cuadro. Lo he cultivado por años hasta perder el impulso original que me llevó a hacerlo. Pienso que el arte es un juego con el caos y una lucha contra él. En los bodegones, naturalezas muertas o paisajes, no está la verdadera pintura, no la que involucra el conflicto o la pasión. Tal vez pueda ser buena técnicamente y todos, fatalmente nos tentamos ante una callejuela al atardecer o con el encanto decadente de un astillero abandonado. No me impulsa la vanidad al descubrir para usted esto que ha visto: nada de lo que quise decir está ahí, o al menos no como lo hubiese expresado de haber logrado mirar mejor dentro mío. Tuve demasiado pudor y fui demasiado sordo a las pulsiones verdaderas, calculé demasiado cada pincelada y temí demasiado la mirada de los otros. En suma, me faltaron cojones. Y sin embargo, cada vez que contemplo este fracaso, siento la inminencia de una revelación, el inesperado roce de un hálito desconocido que me ayude a concluir la obra y firmarla. Esperando ese prodigio los pomos de pintura se secaron y retorcieron y los pinceles perdieron sus cerdas, los disolventes se evaporaron y las paletas acumularon polvo y sequedad hasta volverse inservibles.

Le pregunté si el resto de los tranvías formaba parte del mismo fracaso y si los púgiles y cuadriláteros conformaban el prólogo. También, si sus más recientes manchas, que combinaban objetos reales y texturas pintadas en simbiosis casi tridimensionales, obedecían a otra especie de conflicto o equivalían a bodegones cotizados a quinientos dólares el decímetro cuadrado. Mientras cubría el cuadro con el lienzo, el pintor se encogió de hombros y torció su boca en un gesto despectivo.

La muerte es un asunto más privado de lo que usted supone —afirmó, misterioso y lejano—. Tal vez lo de Irene usted no lo comprenda, o no le interese porque interfiere con su botín, con ese pasado que quiere arrancarme desde que llegó. A lo mejor, aquella melodía de Cole Porter que escuché un mediodía de verano en esta misma casa ya no suena en mis oídos, porque el único sonido que registra mi mente es el del teléfono sonando con insistencia en la madrugada del accidente. Un dolor se saca con otro y cualquier recuerdo es canjeable, a la larga, por uno más reciente, triste o placentero. Lo cierto es que desde el accidente de Irene, ya no pinto. Además, por más esfuerzos que hace Flavio, mi obra no encaja en los parámetros actuales, ya que no cumple una función decorativa. Para colmo, no he pertenecido al famoso taller, aunque conocí al maestro cuando yo era un imberbe y mi tío Esteban me llevó a una conferencia en el Ateneo. Ese hombre obstinado, orgulloso como pocos, quería ordenar el caos, pobre, fíjese qué tarea. Para eso inventó el dogma dentro de la pintura, discípulos, precisas instrucciones, límites: algo inaudito. Al revés, Picasso se divertía provocándolo. De alguna manera son las dos caras de una misma moneda, Apolo y Dionisos, un hijo de puta y un apóstol, un demonio de la creación y un severo Dios-Padre que un día baja del Olimpo a enseñarnos cómo crear de acuerdo a fórmulas rigurosas, poderoso profeta de la paleta baja y la construcción.

Expresó esto último con un tono de falsete que pretendía imitar la hipotética voz del anciano Torres. Luego apuró su medida de whisky y me invitó a salir del jardín secreto y regresar a las alturas del taller. Ahora yo no tenía demasiadas cosas que decir, porque la imagen del cuadro contemplado seguía ocupando mi mente, proponiéndome claves a descifrar. Lo seguí, obediente y en silencio, atravesando los despojos del tiempo y el olor a humedad, encierro y harriague. El maniquí con el cráneo de mono me miró desde su rincón macabro y el enigma del bote, ingresado nadie sabe cómo al sótano, me desafió nuevamente.

Había sido rápido el raid a las profundidades de la caverna del pintor. A falta de bisontes o ciervos en fuga, me había ofrecido la contundencia de un tranvía fantasmal, congelado bajo la luz desalmada de las lámparas dicroicas. Pero las huellas que yo buscaba seguían sin definirse, aparecían o desaparecían de acuerdo al caótico discurso del pintor, un hábil declarante o un indiferente.

Cuando emergimos al otro jardín, la luna estaba alta y el aroma del humo de la salamandra todavía impregnaba el aire frío. Me pareció el momento adecuado para preguntarle por Angélica, la hija del periodista y la exiliada. Quería saber si ella, finalmente, lo había encontrado. Esa podía ser una circunstancia clave del relato, la oportunidad para recomponer aquel día trunco de setiembre. Yo había intentado hacerlo a mi manera, cuando el relato de Gauna me impuso sus mecanismos de búsqueda. Tuve que viajar a Buenos Aires y a partir de simples nombres indagar sobre personas. Me enteré, tras múltiples contactos telefónicos y prolongadas caminatas, que el periodista había muerto y que su mujer había regresado a Córdoba. Sobre sus hijos, solo pude averiguar que el varón, llamado Manuel, hacía años que se había ido del país y que tal vez se había establecido en México. En cuanto a Angélica, mis informantes la ubicaron "en algún lugar del sur", dedicada a atender una hostería con su marido y sus hijos. Era poco, pero no necesitaba mucho más. Lo que faltase, tendría que inventarlo, le gustase o no al pintor.

15

Nuevamente frente al retrato del pintor joven y junto a la salamandra, en el ambiente amable y caldeado de su refugio y bajo la viva impresión del cuadro subterráneo, intenté retomar los hilos de la búsqueda. Insistí con el año y con el después de aquel día de setiembre. El pintor volvió a sorprenderme:

Un buen día, a fines de aquel año, la media década del medio siglo, empezaron a llegar aquellas cartas: eran breves, desesperadas, insultantes. No estaban firmadas pero yo sabía quién las escribía. Su contenido era un compendio de la culpa, un grito único que pretendía expiar el pecado por la vía de su confesión extenuante. Yo reconocía esa letra, las vocales pequeñas y anchas, los trazos urgentes de final de palabra. Solo con sangre esas líneas hubieran sido escritas de manera más aterradora. ¡Quién hubiera podido decir unos meses antes que su autora hubiera sido incapaz de proferir uno solo de esos insultos, de desgarrar su alma en elaboradas blasfemias que harían palidecer a un congreso de ateos! El nombre de los hijos era invocado, en especial el de la muchacha: los llamaba testigos, pobres inocentes, víctimas. A mí me llamaba "el instrumento de la desdicha". Parecía el discurso de alguien que había enloquecido. No pude responder a ninguna de esas cartas, ya que también carecían de la dirección del remitente. Todas terminaban con esta frase: "¡Juega

Dios a los dados?" y eran el reclamo de una mujer que había perdido la fe para aceptar el infortunio.

El pintor hizo un gesto con las manos, como el que hace un jugador de dados antes de una tirada. Enseguida acercó una mano a sus labios y sin abrir los dedos, sopló. Luego me miró, como si buscase en mi atención una imaginaria cifra que le confirmara el acierto.

Lo de Dios y los dados era una pregunta retórica, cómplice, que evocaba algo que yo le había comentado a propósito de la postura del sabio Einstein ante Dios, el destino y el azar —explicó y tomó la botella de *Old Parr*, haciéndola bailotear para cerciorarse de que todavía tenía contenido—. Einstein había muerto precisamente aquel año de 1955 y pese a ser un científico, alguien capaz de proponer teorías sobre el universo y la materia, era un hombre profundamente religioso.

El pintor volvió a servirse un par de medidas en el vaso —ya prescindió del mío— y lo elevó delante de sus ojos, como si a través del líquido dorado pudiera espiar otra vez en la remota lejanía de una parte de su memoria. Además de la carta de Gauna se estaban mentando otras que el cartero del tiempo devolvía con urgencia al foco de la conciencia. Ahora el pintor había adoptado una expresión absorta, como si los insultos que mencionaba estuvieran cayendo sobre él en ese preciso momento que los evocaba. Le pedí que me hablase más sobre los dados de Dios, porque esa imagen me pareció sugestiva. Eso pareció entusiasmarlo, porque podía otra vez emplear su erudición:

Einstein afirmaba que la religiosidad es tener conciencia de que existe lo impenetrable para nosotros. El físico más importante del siglo, alguien que había buscado una explicación del universo no mágica, se sentía profundamente religioso según él mismo había confesado. Y aquí está lo tremendo: Alberto Einstein rechazó cualquier religión fundamentada en el miedo, tribal, primitiva y también la religión del pueblo judío, la religión moral. Él creía en un Dios revelado en la armonía de lo existente, una armonía regida, claro está, por leyes. Nunca creyó en un Dios ocupado de la suerte y los actos del hombre. Estaba convencido de que si el hombre obra de acuerdo a una necesidad interna y externa regida por leyes, desde el punto de vista de Dios no es responsable, de la misma forma que un simple cascote no es responsable de sus actos. ¿Pero entonces tendríamos a un Dios que juega a los dados? ¿Un Dios que juega a los dados y además hace trampas? ¿Un Dios capaz de precipitar hacia la peste a este niño pero preservar a este otro? ¿Que puede matar al posible descubridor de la vacuna salvadora en un accidente pero mantener vivo a un criminal nazi oculto y saludable en la selva? ¿Acaso tememos porque intuimos que la existencia es el caos regido en arreglo a un azar inextricable, incomprensible y arbitrario? Sin una clara fundamentación teórica, porque en ese momento no la tenía, yo hablé una vez de estas cosas con esa mujer, que era profundamente creyente, para hacerle ver que las nociones del castigo y la culpa no debían interferir con la felicidad. Le decía que los dados a veces caían mal, por la sencilla razón de que eran simples dados.

Otra vez el tranvía 15 apareció en el horizonte, traqueteante y cargado de estigmas, guiado por el tahúr Rovira con sujeción a horarios puntuales y paradas preestablecidas, designadas una eternidad antes. En su viaje, había dibujado el mapa fabuloso del destino. Eso era lo que fascinaba al pintor y a la vez lo atormentaba.

En cualquier caso, Einstein estaba convencido de que Dios no juega a los dados. Eso lo afirmaba con una certeza que no puede ser otra cosa que su versión de la fe. Pero, ¿y si realmente lo hiciera? —concluyó el pintor, con una antigua desolación atenuando el brillo de sus ojos vivaces, que parecían mirar la extensión de una planicie helada.

Le respondí que también podía Dios jugar al ajedrez, que eso esperaba Einstein que hiciera, porque así la ley podía funcionar y cada movimiento de cada átomo ser el producto de otros movimientos previos, así como el determinante de los posteriores. La reflexión iluminó la mirada del pintor, como si fuera la primera vez en la conversación que me prestara atención.

16

No alcanza la pintura —murmuró el pintor con un tono grave, levemente gangoso y volvió a su tópico preferido— hay cosas que no se pueden pintar. El viejo Torres pensaba que en la historia del Arte, todos los pueblos han pasado de la imitación a la abstracción. Junto con otros artistas del ambiente parisino de los veinte, el viejo cree descubrir una herramienta poderosa para ordenar el caos: la Sección Áurea, de la que ya había hablado Euclides y que a través de los matemáticos árabes se instaló en el Renacimiento italiano. Pero en realidad descubre el camino cuando conoce a los holandeses, sobre todo a Mondrian, ¿lo ha visto?, ese rigor, esa maldita frialdad, ese distanciamiento inhumano. Mondrian, el estricto calvinista que no toleraba la visión del tronco de un árbol desde la ventana de su atelier, porque le recordaba un objeto de factura no humana; una apreciación ridícula.

El pintor hizo una pausa y gesticuló trazando líneas imaginarias en el aire o sobre una tela que solo él podía ver. Enseguida continuó con su disertación sobre Torres:

Al final, vaya desafío, el viejo va a guardarlo todo dentro de cajas, las celdas de sus verticales y horizontales: el sol, los peces, las chimeneas, los relojes, las aves, las áncoras, las brújulas, el Hombre, Dios, los números. Toda la mierda ordenada, bidimensional, simple, con los colores primarios también repartidos y jerarquizados según su distribución sobre el diseño, plano, sin profundidad ni perspectiva alguna, el jeroglífico y el mensaje, los signos. Que nada escape a su control: estructurarse para no sucumbir a las pasiones ni reconocer que hay cosas que no se pueden pintar, esa es la jodida verdad. En vez de jugar y pelear contra el caos, contra Archie Moore o los malditos mercaderes del arte, tengo para mí que Torres sintió miedo de él y se atrincheró en un método, el arte constructivo, que luego tuvo que explicar, paso por paso, el resto de su vida, cuando el artista no tendría que andar explicando nada, ¿verdad? Las emociones, los sentimientos, el abismo de las visiones más profundas y los desgarramientos más hondos quedaron sofocados, reducidos a un código de símbolos cuidadosamente puestos en su lugar. Me pregunto si realmente quería eso —dijo el pintor, perplejo y errabundo en su invencible monólogo— pero ya tenía cincuenta y cuatro años y había golpeado demasiadas puertas. Él creía que había dado "la vuelta al cabo" en la pintura. En realidad lo había hecho en la vida.

El pintor bebió otro sorbo y aguardó mi réplica, que fue muda, un gesto atento para seguir escuchando. Antes de seguir, alimentó la salamandra con otro libro elegido al azar.

En cambio, Picasso pintaba cada uno de sus cuadros como si intentara reinventar el arte de la pintura enteramente de nuevo —dijo con un repentino entusiasmo. Lejos de temerle al caos, juega con él, lo provoca, se burla, es un prestidigitador, un bromista que desbarata la idea de unidad, que pinta en cada momento como se le ocurre sin aspirar a estilo alguno. Por ahí cuenta que en él, un cuadro es una suma de destrucciones. Un monstruo ególatra que desvincula, definitivamente, la naturaleza del arte y que no quiere ordenar nada dentro de una tela. Por Dios, aquí hubiéramos necesitado a Picasso más que a nuestro entrañable y castrador maestro.

A mí no me interesaba debatir sobre esas nociones: yo sólo quería que hablase, que fuera desmantelando su sistema defensivo. Le pregunté si alguna vez había afirmado eso en público y me ignoró.

Pero claro —agregó el pintor— al artista le exigen que además sea buena persona, cuando esas posibilidades quizá no sean compatibles. Toda esa historia del Picasso monstruo, el amante cruel o el padre indiferente, que por otra parte es verdad, no tiene que pesar al momento de analizarlo como artista. Miremos su último autorretrato en verde y malva, la expresión de terror que nos ofrece: otra vez el miedo, claro, y unos inolvidables ojos de pánico ante lo que le esperaba, nada menos que la nada, nada más que la absoluta desaparición de su yo, algo indudablemente insoportable tratándose de alguien como Picasso. A ese hombre arrogante y perverso acudió Torres a pedirle ayuda en París —siempre pedía, exigía, exponía su virtud para que lo ayudasen, como diciendo qué le pasa al mundo que no ve toda la obra que puedo llegar a pintar si solo me ayudan— y Picasso lo engaña o se desentiende, le promete interceder a partir de las fotos de unos murales y no hace nada por nuestro pobre maestro, se encierra y no lo atiende, vaya desaire.

El pintor lanzó una corta carcajada, como si hubiera presenciado la escena del viejo fastidiado, paseándose por el vestíbulo del palacete parisino, mientras Picasso se encierra en el baño a reírse.

Un genio también lo es por animarse a pisar la cabeza de quienes amenazan sus dominios —reflexionó el pintor—. Me refiero al lado oscuro de la genialidad, a su costado ruin. Pero más me preocupa el otro y su dignidad, tragándose la ofensa para contarla luego en su autobiografía y dedicarle un capítulo de semblanza en sus famosas lecciones.

17

A esas horas yo ya estaba harto de los merodeos del pintor por todos los temas que lo obsesionaban. Solo quería escucharse a sí mismo, montando una tras otra sus teorías y el inventario de sus quejas. Su postura era la de alguien que buscaba el gran pretexto por no haber triunfado, un implacable quejoso que se lamía sus propias llagas con ostentación. Su foja de servicios apenas si registraba las remotas exposiciones de fines de la década del cincuenta con el grupo de los no figurativos y un par de presencias en salones nacionales. Enumeraba los consabidos premios adquisición y un decoroso segundo premio del Banco República. Había también un intento de acceder a la segunda Bienal de San Pablo, realizada entre diciembre de 1953 y febrero de 1954. Esa vez, el comité de selección de la Comisión Nacional de Bellas Artes había elegido ochenta y tres obras para representar al país, sin que el pintor lograse incluir una sola de las suyas, que quizá fueran tranvías o boxeadores. En las notas de José Pedro Argul figuraba como al pasar y en los comentarios de García Esteban se relativizaban sus méritos. Igualmente, ambos dejaban constancia de sus intentos no siempre logrados por acceder a zonas de quiebre y a compromisos pictóricos alejados de lo convencional. También lo situaban como un ejemplo solitario y quizá incomprendido dentro del panorama de nuestra pintura contemporánea, aunque veladamente se quejaban de su sistemático alejamiento de los movimientos y las formativas disciplinas de taller. Su condición prácticamente autodidacta no era perdonada. Así y todo, había sobrevivido su firma más que los reales méritos que la sostenían y ahora disfrutaba de una tardía revalorización, a la que no eran ajenos el trabajo de su *marchand* y el oportunismo de ciertas galerías de la Ciudad Vieja. Por eso, el pintor había pensado que nuestra charla habría de ser sobre pintura.

No obstante, a esa hora de la noche en que las conversaciones languidecen o ingresan a zonas indefinidas del espíritu, su fastuosa manera de hacerse el desentendido pareció desmoronarse, dejando traslucir el eco de un dolor olvidado que emergía desde una región muy profunda de su interior. Era como esos cuadros pintados sobre uno anterior que, por razones de fijado o técnica pictórica, en algún momento comienzan a resquebrajarse, a perder consistencia y dan lugar a la aparición del otro, más antiguo, que quizá lo prefigura, lo anticipa o, muy por el contrario, postula una obra radicalmente diferente, distante de la que estaba encima como si obedeciera a dos autores distintos que sin embargo son el mismo.

Pero si eso era así, era probable que mi indagatoria hubiera establecido el hallazgo de la falla, el quiebre vital, la transición de un cuadro hacia el otro. Había que reparar en el miedo y en las causas del infortunio, seguir el itinerario del viejo tranvía desde aquella sangrienta detención en Agraciada y Tapes a la siguiente en un día de setiembre de 1955. Los años que separaban ambas habían sido decisivos en la gestación del pintor y en la formación del hombre. Entonces, la copia rigurosa y fiel del misterioso *Pierrot* de Watteau bien podía marcar una desoladora visión del copista sobre sí mismo. Pero más significativas eran sus propias obras, de las que apenas yo había visto un par, y una de ellas tal vez inconclusa. Del desnudo al *gouache,* a *El jardín secreto,* mediaban años y estilos, pero uno contenía al otro y lo amplificaba. En realidad, ambos proponían la desnudez: la de una mujer y la del pintor, expresada a través de la desolación de una imagen fragmentada y múltiple. Todas las claves de la historia estaban allí, pero solo me había concedido unos minutos para contemplarlas y reconocerlas.

18

Le pregunté si algún día iba a terminar el cuadro del sótano y si el hecho de mostrármelo significaba que podía confiar en mí. Me miró sorprendido y terminó su whisky. Luego tomó la botella y la sacudió: ya no quedaba nada del regalo de Carbajal. Amagó a tomar otro libro de la biblioteca y luego se arrepintió. Parecía incapaz de agregar más nada a la conversación, como si de golpe hubiera comprendido que yo era un perfecto extraño a quien le había confesado demasiados secretos y un tardío pudor le impusiera silencio. Y sin embargo, a su manera elíptica y transversal, respondió:

Los malditos dados tienen una determinada sucesión de posibilidades que no es infinita. Mi hijo el matemático me explicó una vez que la coincidencia del paso del deudor Rovira y el vagón rojo número quince, aquella mañana, solo podría volver a suceder, en caso de que el universo entero repitiese su secuencia desde el origen hasta ese momento, una vez en diecisiete millones a la potencia noventa y seis. Por supuesto que la cifra es arbitraria, pero sirve para ilustrar la desmesura de toda aparente casualidad. Lo que me dijo en realidad es que era probable que transcurriese una eternidad entera hasta que ese cruce volviera a darse. Por eso, cuando miro esa tela de allá abajo, descubro que siempre estará inacabada, porque no he sabido representar en ella la noción de fatalidad, el turbio atajo que por comodidad llamamos azar. La pintura no alcanza, pero cuando se tiene genio, el abismo puede ser menos hondo. En cuanto a la escritura, vicariamente, usted aspira a revivir mi historia, pero no tiene la más remota idea de lo que hay dentro de ella. Usted se dispone a desplegar la famosa mentira del arte sin otro pretexto que conquistar el olvido, según me ha confesado hace horas. Es como si yo aspirase a pintar el famoso Burdel, el de Avignon, a robarle a Picasso todo lo que puso en esas mujeres desagradables, la inauguración de la fealdad en el arte, uno de los cuadros más misteriosos de la historia de la pintura. Creo que ha llegado el momento de pedirle que me deje en paz.

Sin meditarlo demasiado le hice notar que si empezaba a ponerse belicoso era porque al fin el baúl estaba abriéndose. También le recordé lo que él ya sabía: con la versión de Gauna podía arreglármelas. Luego le advertí que era probable que yo lograra en el papel lo que él no había podido en la tela. Lo último fue pura fanfarronada que me sirvió para descolocarlo. Se levantó de la *bergère* y de golpe movilizó sus brazos como un boxeador haciendo calistenias. Estaba arrinconado y no tenía más remedio que moverse en el discurso como un púgil que en el ring evita el contacto con el rival. Así lo había hecho toda la noche: bailotear sobre mis palabras y zafar con reflexiones brillantes y gestos de ilusionista, como quemar libros o guiarme a los abismos de su fracaso. No iba a dejar que se saliese con la suya. Tarde, pero sin tener otra alternativa, lancé un golpe que le dio de lleno: le mencioné el deseo, la única fuerza humana capaz de ignorar o vencer el miedo.

Es una historia de deseo, el suyo y el de esa mujer —conjeturé y dejó de moverse, como si de pronto estuviese acalambrado en medio del cuadrilátero, bajo un foco implacable y el gong demorase demasiado en sonar. Después agregué que en el desnudo al *gouache*, ese deseo era el sostén de todo el dibujo, que era imperfecto pero tenía una vibración sensual que no existía en el cuadro inacabado. Me pregunté, en voz alta y sin dirigirme al pintor, si en esa carencia no radicaba el factor que lo hacía inconcluso. De hecho, la fatalidad, el tranvía, lo inefable, se tragaban el deseo y lo sepultaban bajo una composición impresionante pero razonada, tan razonada como los constructivos ordenamientos del viejo. Lo que había allí, a fuerza de indagarlo, había perdido quizá su sentido y la pasión se había esfumado como una sombra tragada por la negrura o la luz. Le pregunté nuevamente dónde estaba aquel antiguo deseo.

En cuatro frases había destruido su trabajo de años, la pintura más ambiciosa de su vida. En ese momento me di cuenta de que me la había mostrado para eso, que necesitaba que alguien ajeno le dijese lo que él mismo había sabido siempre. Sentí el asomo de la piedad instalándose en el silencio, murmurando en el sordo crepitar de la salamandra. Ahora el pintor parecía cansado o indiferente.

19

Hace poco lo supe —dijo por fin el pintor, resurgiendo de la ciénaga, reticente—: Rovira no pudo pasar por ahí aquella mañana. Tanto lo busqué que terminé encontrándolo: fueron años de preguntas, averiguaciones, recorridas por los lugares de Belvedere, de pesquisas por toda la ciudad. Almacenes, prostíbulos, pensiones, garitos clandestinos, el Sport de la calle Andes, los prestamistas del Casino: un perpetuo viaje hacia atrás, a las vías ahora sepultadas de los tranvías. Por fin una fecha, 16 de abril de 1941 y un certificado de defunción: Pascual Saverio Rovira murió de una peritonitis en el Maciel, más de un año y medio antes que papá. Aquella mañana, si pasó por Agraciada y Tapes, fue como espectro o como un desvarío de la mente de mi padre, quien era alguien completamente cuerdo. La gran leyenda del destino y sus cruces hecha pedazos por la simple lógica: papá muerto por su apresuramiento y confusión. Ahí tiene la séptima cara del dado, el perverso gambito del infortunio. Eso tampoco se puede pintar. Por alguna razón que no me interesa explicarle, ese tal Gauna acaso haya sido un epígono o un *alter ego* de Rovira, una engañosa imagen primero y un señor de la fatalidad después. Es cierto, ese hombre precipitó otro desencuentro, pero fue apenas un mediador entre nosotros y la ausencia.

Habíamos llegado a las raíces del miedo, que es la certeza de vivir con el acecho de un final absurdo corroyendo la razón. Lo de Rovira no me sorprendió: de alguna manera formaba parte de ese extraño ritual con que a veces se presenta la muerte. Yo había oído ya historias similares, como la de una persona golpeada y aplastada, en plena calle, por la "C" de un letrero, desprendida de una marquesina. Una especie de broma absurda que remitía a la violencia de los dibujos animados. Le pedí que volviera a las cartas de la mujer, a partir de las que había comenzado el largo paréntesis de Einstein, Torres y Picasso.

Finalmente usted va logrando su propósito: su método es paciente y eficaz, como el de esos pescadores que sueltan la línea y dejan que la presa se aleje y se confíe, para luego recoger rápidamente el aparejo y acercarla otra vez. Ahora cree que me tiene de nuevo, que voy a hablarle de lo que no quiero. Puede ser, pero aun teniendo los hechos no tendrá la verdad. Imagine un caleidoscopio con una limitada cantidad de botoncillos, prismas, cuentas, trozos de vidrio y espejuelos en su interior: lo giramos y al mirar vemos una determinada figura; volvemos a girarlo y las mismas piezas configuraron otra imagen. Repetimos el giro y otra combinación aparecerá. Pero en realidad todo es una ilusión, un pequeño caos que por un momento se nos aparece ordenado. Intente otro movimiento, estimado escritor —dijo el pintor y sacudió otra vez la botella vacía, colocándosela luego delante de un ojo, como quien mira un caleidoscopio. Después, previsiblemente, volvió a cambiar de tema.

20

En el cincuenta y seis pude comprar una parte de la imprenta para la que trabajaba y me fui del Municipio. El tío Esteban, cuándo no, me ayudó con unos pesos, por más que desaprobó mi renuncia al Estado, a la maldita oficina llena de papeles y olor a café recalentado, estúpidas e interminables conversaciones sobre cualquier causa perdida. Ya había empezado la descomposición en el país: huelgas, desocupación y carestía, palabras que iban a seguir sonando por muchos años. El año anterior, los políticos se habían beneficiado con una ley escandalosa, que les permitía importarse dos autos libres de impuestos por cada período legislativo. Autos americanos, claro, colachatas que no cabían en la calle, cubiertos de horrendos cromados. Los yanquis imponían su estilo de vida y su política exterior, la intervención en Guatemala, la Guerra Fría y los encendedores Zippo. Fumábamos Lucky Strike y tomábamos con deleite su jarabe mágico de Atlanta. Pero Luis Batlle Berres fue hasta ellos y les pidió ayuda para la famosa industrialización y no le fue bien. Hasta entonces la política me había interesado muy poco: voté por primera vez en el cincuenta, al doctor Frugoni, porque era lo que papá hubiera hecho, pero no tenía un real compromiso con sus ideas, solo me interesaba su costado ético, eso que hoy demasiados parecen olvidar jugando a la *realpolitik*. En realidad yo era —y lo soy— un in-

dividualista extraviado pero nunca un indiferente.
Por esos años dejé de pintar y repartí mi obra anterior entre los amigos, alguna la quemé, otra, la perdí. También dejé de hundir panecillos de azúcar en el café —usted no puede entender ahora el significado de ese operativo porque ni siquiera hay, hoy, azúcar empaquetado así— y empezó para mí otra vida. Conocí a la madre de mis hijos varones, que era secretaria de una empresa papelera y estuvo a punto de ser Miss Uruguay en el cincuenta y tres, y en seis meses nos casamos. Fue un enamoramiento instantáneo, casi adolescente, pero en diez años, todo se había terminado. El problema siempre es creer que algo puede durar toda la vida. Tal vez yo necesitaba, al conocerla, un salvoconducto a la seguridad de una vida normal, en el sentido que entonces tenía. El respetable hogar, el progreso laboral, la esperada prole, la obligatoria meta de construir algo simple y para siempre. Todavía es una mujer atractiva y somos buenos amigos.

El pintor hizo una pausa en la que pareció evocar antiguos días de sol o la dilatada sobremesa de un domingo en el campo. El último comentario lo había subrayado con un vago gesto señalando un dibujo al pastel que colgaba enmarcado en una de las paredes. Era el rostro de una mujer morena y sonriente como en un aviso de Kolynos.

En la última etapa de ese tiempo, recuperé la pintura —volvió a evocar el pintor—, pero fue como empezar de nuevo; no era nadie, estaba fuera de todo parámetro y mis amigos ya no estaban: Díaz alcohólico, incapaz de sostener el pincel; Washington demasiado preocupado en sus chatarras y collages; Villamide muerto prematuramente. En los grupos, no tenía cabida, me ignoraban o eran condescendientes. Yo siempre me había resistido al taller, al dogma en la pintura y en la vida, a la sistematización. Era un autodidacta que todavía seguía buscando mis trazos, una manera de expresarme, cosas que decir. Poseía la técnica pero carecía de seguridad al momento de utilizarla: no toleraba la pintura pasatista, el mero gesto estético, la actitud puramente hedonista y autocomplaciente. Tampoco me había afiliado a los rigores de lo constructivo, aunque lo respetaba, si bien me agobiaba su retórica, su rigidez sin escape. Yo sabía que había otra cosa, el otro lado, la posibilidad de unir cajas con trozos de vidrio y pedazos de chatarra o de indagar en los efectos del rojo sobre el añil sin necesidad de figurar nada. Algo de eso había intentado el propio Díaz, antes de extraviarse. Volvieron algunos tranvías, pero pasaron muy rápidamente; intenté otros cuadriláteros, ya puras abstracciones donde los púgiles apenas eran sombras; de a poco aparecieron las deformidades, los colores enfermos, los laberintos geométricos. Desempolvé *El jardín secreto* e intenté terminarlo, pero había algo que ya no estaba o yo no comprendía. Intenté unir los pedazos del pasado sobre una tela y en medio de la confusión descubrí al maldito irlandés, a Bacon, y me perdí en sus retorcidas visiones del dolor, o bien quise ser Warhol, pintando con ridícula obstinación botellas de cerveza *Doble Uruguaya* y latas de polvo *Royal*. Pero lo verdaderamente patético era seguir imitando a los maestros sin haber visto un solo original de sus cuadros. Todavía no había viajado, no había visto la gran pintura, no había gestionado una beca, seguía sin concurrir a las bienales. Evidentemente estaba muy confundido.

21

Yo conocía lo que iba a suceder después: su relación con Mara, una actriz del teatro independiente, sexualmente liberal y medio anarquista, quien lo envuelve con su aire de musa existencialista y sus maneras ambiguas y lo vincula a la lucha por el cambio social, pelea que cumplirá desde la imprenta, diseñando afiches y produciendo miles de volantes en una Minerva. Pero esa unión, que podía haber sido libre, se complica inútilmente en el Registro Civil, con medio elenco de La Máscara arrojando arroz y más de un futuro militante de la lucha armada sonriendo al fotógrafo con corbata y saco azul. La actriz era joven y encantadoramente promiscua, sobre todo por las fantasías que era capaz de inflamar en torno al número tres.

Fue un matrimonio breve y lo suficientemente escandaloso como para que más de un galerista se aprovechase y rescatase al pintor de los patéticos paisajes japoneses que comercializaba en la calle, frente a la Pinturería Trivelli, en plena avenida 18 de Julio. Compartía la exposición con un artista que pintaba pinares con fondo de arena y mar, ideales para colgar en livings estilo americano con sillones de *neoskay*. Esa concesión a lo horripilante era, además de un medio de vida cuando la imprenta estaba casi arruinada por las deudas, una extraña forma de protesta contra un medio que seguía ignorándolo o condenándolo a relleno de alguna exposición colectiva de futuros fracasados.

Yo conocía esa historia y quien me la había contado sostenía que la boda y los paisajes japoneses formaban parte de una única decadencia, de una metódica búsqueda de la lona sobre el ring. Entonces los galeristas buscaron y encontraron lo que pudieron: desnudos de Mara y sus amigas en escenas casi pornográficas, botellas de cerveza agrupadas en estanterías y unos extraños dibujos a la carbonilla que mostraban unos páramos abstractos atravesados por líneas punteadas, simples segmentos que unían puntos designados por las letras A y B y el asomo de manchas cuya textura evocaba el caparazón de las tortugas. No tenían firma ni fecha, pero eran, indudablemente, del pintor.

Le pregunté si Mara había sido el deseo recuperado o la posibilidad de olvidar el miedo: tal vez la mujer exiliada y la actriz se vinculasen en la necesidad del pintor de transgredir, de romper, al menos, con los códigos sociales.

Fue mi *été indien,* la consecuencia del hastío matrimonial, la huida de mis responsabilidades de padre, la justificación de mi fracaso como artista: todo eso y lo inexplicable del sexo como actividad compulsiva, gimnástica. Fue también una actitud exterior, una pose cuyo modelo pudo ser una mala lectura de Henry Miller o la necesidad de inventarme una bohemia que antes no había tenido. En todo caso todo sucedió, por suerte, muy rápido. Pero es cierto, fue el deseo recuperado y el miedo oculto tras un vértigo de inmolación, de sofocación entre borracheras lentas y encames plurales. Estaba claro que mi proyecto era la destrucción, al no ser apto para crear me parecía que lo más adecuado era destruir, aniquilarlo todo al estilo brillante de los sesenta, como en un juego al ritmo de la música de rock y las consignas del amor libre. Pero no éramos verdaderamente iconoclastas ni innovadores, porque las vanguardias ya estaban agotadas. Repetíamos los gestos de ellas —en lo artístico y también en lo político—, cuando lo verdaderamente importante ya había sucedido: nuestra actitud era imitativa, amanerada, fatua. Nuestras barbas y nuestras amantes, la iracundia o el discreto encanto de la marihuana, la revolución que amábamos y alimentábamos como a una gata siamesa. ¿Qué podíamos hacer sino embriagarnos de futuro mientras vivíamos el presente malgastándolo, devorando el tiempo con famélica actitud? Éramos tan arrogantes, en el fondo nos sentíamos un grupo de elegidos, la casta dorada del intelecto, la política y el amor libre, de las discusiones interminables y el desprecio por aquello que nos había prohijado. También teníamos el sicoanálisis y la posibilidad de entender y hasta convivir con nuestras miserias más recónditas, "elaborando conflictos" con dedicación artesanal. Así llegué a saber qué significado tenían mis boxeadores y tranvías: quiere castigar a su padre por haberlo abandonado, es una violencia, la suya, que se canaliza a través del motivo. Es usted quien está peleando, suyos son esos golpes ciegos contra la negrura. Me informaron, además, que los tranvías eran la primacía del victimario sobre la víctima y que en todo eso mi padre estaba ausente, sospechosamente suprimido de la escena, tragado por el furioso ímpetu de la máquina. Pero un buen día me cansé de esas interesantes explicaciones sobre algo que yo ya sabía y además me harté de pagar la desestructuración de mi obra. Y también de esa arrogancia para descalificar a quienes no pensaban como nosotros o simplemente no aceptaban otra visión dogmática. Pero el tiempo no se detuvo, ¿verdad? Cuando quise darme cuenta tenía casi cuarenta y había cosas que todavía no había hecho, como ir a Europa tras conseguir la beca que tantos colegas me habían aconsejado, porque el buen salvaje debe, una vez en su vida o varias, peregrinar y sumergirse en un baño de civilización.

En realidad Mara fue mi temporada en el infierno, evocó el pintor y se incorporó de golpe, con la avidez de alguien que necesita aire porque acaba de emerger de una profundidad inaudita, de un pozo insondable y estrecho, donde solo caben él y su soledad. Después agregó, como un ruego o una orden:

Vámonos, tomemos algo por ahí, como hacen dos camaradas o un par de cómplices. Hay un lugar, aquí nomás en Larrañaga, un bar que cierra tarde.

22

Salimos a la noche del Prado y las estrellas me parecieron falsas, como pintadas sobre un telón que se deplegaba detrás de la aguja de los Carmelitas. El pintor se había puesto un viejo sacón marinero y una gorra de tweed y había encendido otra vez su pipa. Para evitar prohibiciones familiares, habíamos rodeado la casa y ganado la calle por la pequeña puerta de servicio, ubicada a un costado del jardín del frente.

Tomamos por 19 de Abril hacia el Jardín Botánico, caminando a buen ritmo, como urgidos por llegar a una cita impostergable. Desde la negrura, ladridos de perros lejanos se entreveraban con el rumor de los plátanos añosos estremecidos por el viento. Al llegar a Lucas Obes, intenté recuperar el diálogo, ponderando la belleza del barrio, sus casonas y el sesgo romántico de la calle que comenzaba a curvarse. Nuevamente el pintor pareció no oír:

Claro que había genuinos idealistas, gente convencida del cambio, con un desinteresado fervor por lo social, armados de fe. Inclusive Mara era auténtica en esas convicciones y a su manera siempre estuvo del lado correcto. Yo simplemente me dejaba llevar y no creía en ese furor por participar, en los roles decisivos, en el compromiso. Pero me hubiera gustado sentir esa fe, una fe cualquiera, personal y silenciosa, invencible dentro mío, que me hiciera parte de un todo. Usted ha expresado que solo el deseo es capaz de vencer el miedo, pero se olvida de la fe, esa invención, ese convencimiento de que hay alguien allí, detrás de todo. En ese autoengaño radica la más conmovedora de nuestras historias —dijo el pintor y me tomó del brazo, impulsándome con él a redoblar el paso, atravesando el aire frío de la noche, dejando atrás un crujir de hojas secas y aromas de jardines antiguos, confinados entre muros sofocados de enredaderas marchitas y rejas despintadas.

Tras varias cuadras más en silencio, divisamos el monumento a Saravia y la plaza circular. Al fondo, las luces de los bloques de viviendas simulaban un cielo precario que opacaba el verdadero. Era probable que el pintor buscase un territorio neutral para confiarme secretos o darme claves para la historia, la intimidad de un bar y la complicidad de un mostrador. Tal vez mi error había sido llegar hasta su taller para abrir los cajones de su mesa de trabajo o indagar en el misterioso cuarto amarillo, sin pensar que el pasado puede ser un país cuyo mapa no todos quieren desplegar.

Cruzamos Suárez y después Millán, para trepar el pequeño repecho de Luis Alberto de Herrera rumbo a Cubo del Norte. Imaginé esa avenida de quintas en otra época, sin la fealdad de los bloques del Posadas hacinando familias en departamentos de techos bajos y ambientes estrechos. Desde la costa del Miguelete, el viento esparcía los efluvios de la pestilencia como una mueca perenne de descomposición. Ahí moría el sueño de un imposible Bois de Boulogne entrevisto por el financista José Buschental más de un siglo atrás, cuando la ciudad se alejaba del puerto y de los brotes de fiebre amarilla en busca de espacios más sanos y aireados.

Vamos al boliche más antiguo de la zona y posiblemente de la ciudad —propuso el pintor, con un dejo de entusiasmo, entregado a la módica proeza de haber caminado veinte cuadras largas para encontrarlo—. El alcohol y los yuyos hacen bien y a lo mejor hasta logran que suelte la lengua, aunque tal vez pueda mentir.

Me miró con un destello de provocación en la mirada, indagando en mi silencio, que no era deliberado y nacía de la incomodidad de ignorar qué tan lejos podía llegar el pintor con varias copas de más. Eso, sin contar que habíamos salido de la casa sin avisar, escapándole a Amparo y su recelo. Ahora estábamos lejos, ingresando en los imprecisos territorios de la alta noche, en busca de los retazos perdidos de una historia que cada vez se me antojaba más inasible, como si a cada intento de rescatarla fuera deshilachándose aun más y solo me quedaran fragmentos inconexos e inservibles. Por fin me sentí cansado y harto de seguirlo al pintor. Necesitaba de una caña tanto como él.

Un día la muchacha llegó —dijo de golpe, sin énfasis, como si retomara una frase interrumpida un segundo antes. Luego ingresó en una pausa desconcertante, mientras se preparaba otra pipa y luchaba con las hebras de tabaco o con su memoria. Se detuvo en medio de la cuadra, delante del portón de hierro de una vieja quinta abandonada, para tomar por fin resuello o lograr encender el tabaco.

Yo estaba divorciándome de Mara y lleno de deudas en la imprenta, pintando cualquier cosa que me compraran o no pintando nada. También inten-

taba algunas escenografías que eran mi contribu-
ción al compromiso, la coartada para que no me lla-
maran complaciente o pequeñoburgués. Aunque
eso iba a traerme —y me trajo— complicaciones
con los del otro lado, prefería estar en el bando de
los que se suponía eran los buenos. Había reinicia-
do relaciones con mis hijos o al menos cumplía con
lo estipulado por la sentencia del juez. Pero estaban
en una edad difícil y necesitaban mucho más que
un régimen de visitas y una pensión que nunca lograba pagar en fecha. No es extraño que hoy uno
sea matemático y otro músico: necesitaron un orden en el cual refugiarse. Como sea, estaba otra vez
en casa y era una especie de hippie envejecido, tan
patético como el ojo encapotado de una vieja puta
pintarrajeada. Tenía otra vez mis discos de Duke
Ellington y Charles Mingus, aunque lo que sonaba
por ahí era muy distinto. Estaba en mi cuarto del
piso superior y miraba en sus paredes las viejas fotografías de los días soleados y abría los cajones de
la cómoda en busca de las primeras hojas de papel
garbanzo, los tímidos remedos de Fossey, el escorzo
de la avenida Agraciada hacia el sur, la vieja cartu-
chera con las tizas Goya y los pinceles Windsor &
Newton. Tenía todo eso, pero no era yo.

El pintor hizo un gesto extraño, un ligero
encorvarse, un breve movimiento como de títere y
dijo: Entonces apareció la hija, con la misma cosa
repentina que una vez habían traído las cartas. Llegó una mañana con un bolso y una corbata de regalo —¡una corbata con dibujos búlgaros, ancha, horripilante!— y me enseñó su sonrisa, la olvidada
sonrisa de su madre, puesta en su rostro adolescente y un poco somnoliento. Me dijo: "Soy Angélica"

y sin permiso entró, catorce años después, a la casa y yo no pude hacer nada para impedírselo. Aquella niña que una vez había correteado por el jardín del fondo junto a su hermano, sin conciencia clara de quién era yo, ni qué vínculo tenía con su madre, llegaba ahora con el libreto bien aprendido.

23

Antes de entrar al bar Los yuyos, el pintor interrumpió su relato. Parecía necesitado de aire o de una energía que acaso venía a buscar en la alquimia que se acumulaba tras el mostrador del boliche, en las decenas de botellas de caña o grapa enriquecidas con el fermento de las más variadas especies de frutos y yuyos, de especias y tallos aromáticos que singularizaban cada trago que allí se ofrecía. Era un lugar estrecho y sombrío, con un mostrador para beber de pie y algunas mesas repartidas en el salón original y en uno agregado de reciente construcción. Desde un parlante remoto se esparcía el fraseo de un bandoneón en variaciones piazzolianas mientras un eco de conversaciones bajas se elevaba desde las dos o tres mesas ocupadas por parejas maduras o amigos en el inicio de un viernes de juerga.

El dueño saludó al pintor con cierta familiar devoción y se apresuró a ofrecernos una mesa. Aceptamos la invitación, porque la caminata demandaba ahora el descanso de las sillas y las copas reposando equidistantes y al abrigo de nuestras manos. Pedimos caña con cedrón y anís y dos vasos de soda fría.

Ya servidos, intenté regresar a Angélica y al año 1969, con el pintor en plena decadencia, llegando a la cuarentena como Dogomar Martínez al round décimo contra Archie Moore. Por un par de fotos que había visto, era un hombre prematuramente encanecido, con profundas entradas en la frente, barba oscura y descuidada y mirada vidriosa. Era el tiempo posterior a su fallida exposición de retratos de personajes, un intento oportunista alentado por la fiebre del póster y la iconografía sesentista, donde rostros y consignas se fundían en láminas aptas para tapar manchas de humedad o llenar los espacios vacíos de los cuartos de adolescentes. Con un estilo impersonal y ciertamente torpe, el pintor había desplegado las caras de la época, apelando a los colores planos y a los rasgos simplificados en una especie de neoplanismo cruzado con la estética de los Presley o las Marilyn de Warhol. Por allí habían quedado Hendrix, el Che, Brigitte Bardot y Neruda, acompañados de Cortázar, un sonriente Mao y la modelo Veruschka, entre otros. Le recordé la lista y me miró con una dureza prescindente, como si le hubiera mentado algo que no estaba probado o que nunca hubiera sucedido:

Esos retratos nunca los pinté, pura patraña de los detractores de siempre. O en todo caso, no era yo ese que expuso y firmó, un usurpador o alguien que se me parecía: consígame uno solo que demuestre que eran míos, ¿dónde están? Hable con Flavio, ni siquiera él, el epítome de la sevicia galerística, cree en ellos. Míos son sí, lo confieso, los paisajes japoneses, cómo no. Le digo más, en un bar de la calle Rondeau hay un mural, una pared con una estampa repugnante, con pinos y una playa y el río: esa abominación sí es mía. Se la habían pedido al tipo que vendía conmigo en la calle; pero él no podía hacerla porque tenía que entregar unos cuadros para decorar una casa de citas, con unas escenas rococó de marqueses y condesas salidas de Sade.

Yo pinté esa playa, con botecitos y todo, qué joder, porque además quería vengarme de un mediodía desagradable vivido en esa fonda de mala muerte, unos años antes. Encima, la firmé —concluyó el pintor y lanzó una carcajada corta y genuinamente gozosa. Después bebió media caña y pareció aliviarse de una ansiedad que lo había mantenido envarado y tenso durante toda la conversación. Me pareció el momento adecuado para insistir con Angélica: había quedado en la puerta de la casa del Prado, recién llegada y con una corbata de regalo.

24

Qué podía hacer, si no recibirla: era tan parecida a su madre, sobre todo en la manera de mirarme en silencio, de oírme inventar una excusa tras otra para no alojarla en casa. Pero se quedó, y fueron aquellos unos días maravillosos, inauditos, perturbadores, en los que poco a poco la historia fue completándose.

La madre le había hablado mucho de mí: yo era el famoso instrumento, la razón de todos los goces y todas las desdichas, el gran ausente de la última cita, el cobarde que no había afrontado su responsabilidad, el canalla del otro lado del río. Era yo el artífice del miedo y el hacedor de la culpa, la espúrea razón de su permanencia en el país durante el año de la epidemia. Mío era el tejido de demoras que las había atado a ambas, y al chico Manuel, a la inseguridad de la campaña alejada de noticias y cuidados, a la lejanía de parientes y amigos que clamaban para que volvieran. Mías, por fin, fueron la culpa y su castigo, el ciego sucederse de ambos, la consecución de la oscura acechanza en los días posteriores al regreso. Todo había sido de una precisión malsana, acaso como el cruce del tranvía con Rovira, como siempre ha sido y será, los invisibles dados dando otra vuelta más, otro giro hasta mostrar la cifra que no nos favorece. Bastó verla para comprender, instantáneamente, todo lo que iba a escuchar después, ese relato que las cartas enloquecidas me habían anticipado. ¿Cómo explicarle que esas cartas me hicieron ir a buscar a su madre en una ciudad estremecida de euforias, miedos y revanchas? Era inútil contarle cuánto había ansiado yo el reencuentro, afrontando lo que fuese con tal de que el tiempo se contrajese hasta aquel mediodía de setiembre, perdido entre caminos polvorientos y conversaciones con extraños, prolongadas de manera absurda en la sede de un club deportivo, tomando y comiendo factura de cerdo y jugando al truco, consolado por ese hombre Gauna, hasta que ya de noche y cansado regresé en el último tren a la capital, aturdido y sin sombrero. ¿Pero qué puede hacerse cuando ya está todo consumado, cuando la consecuencia de nuestros actos más desinteresados y auténticos está encarnada en la esperanzada sonrisa de alguien que, tocada por el sombrío aletazo, todavía cree?

Los ojos del pintor traspasaban el vaso que sus dedos sujetaban con impensada vehemencia. A través del vidrio parecían mirar una profundidad inabarcable desde su posición en la mesa. Ahora mi esfuerzo se centraba en evocar, desde mi memoria, el rostro de la recién llegada visto apenas unas horas antes, durante la travesía en barco. Podía haber esperanza, sí, en aquellos rasgos, en la sonrisa o en la manera de hablar, sin un atisbo de duda o miedo, sobre todo, sin una sola concesión a la queja. A través del pintor yo iba a rescatar a la Angélica de aquella noche sin sueño ni camarote y ahora sabía que la historia solo estaría completa si, tras el relato de Gauna, yo lograba construir el mío, recordar cada palabra y cada momento de los vividos en el cruce del estuario un jueves santo de un cuarto de siglo atrás.

Ella dijo que venía porque sí —explicó el pintor y pidió más caña, ahora con guaco—, que nada sabían en su casa de su plan de buscarme. Pero su madre estuvo años preparándola para el encuentro, sin que la pobre Angélica lo supiese. Cuando esa niña creció, cuando abandonó los juegos y la improbable ignorancia del mundo infantil ya tenía dentro la simiente de esa visita, el protocolo inútil de la corbata y los múltiples ensayos para copiar, imponer la antigua sonrisa y el aire de recato, la contrita actitud de arrepentimiento y desafío. En algún momento de su infancia le fue implantada una historia de la cual ella resultaba víctima y prueba del escandaloso proceso, cuyo final coincidía con una revuelta militar para deponer a un gobernante. Tal vez, en ese hogar que su padre el periodista había descuidado en más de un sentido, y no solo por su fervor opositor y resistente, o por sus principios, no por la basura que había escrito en el diario de los Paz; en esa familia fracturada y vuelta a unir por la inercia de los deberes y las apariencias, la niña se había transformado en el símbolo viviente de la culpa y en el alimento para el odio, ese mismo que por un tiempo me llegó en las cartas de la madre, un odio que incluía también el despecho por la última cita no cumplida. Pero lejos de venir a increparme por nada o a mostrar sus estigmas para que yo me sintiera un miserable, la niña olvidó el mensaje original y se concedió una tregua, como si al verme hubiese comprendido que yo no había cargado los dados, que estos giran solos, lanzados por nadie, indiferentes a toda esperanza o aprensión, sin que nada

los detenga antes del último giro que ineluctable-
mente deben cumplir. Ella vino a ofrecerse en un
sentido que usted no puede ahora comprender, llegó para afrontar lo que yo fuera, indefensa y sin más
equipaje que su propia historia. No quería ser su
madre ni rescatar del olvido nada que no le perte-
neciese: quería simplemente ver la otra cara del espejo.

Ahora Angélica estaba allí, sentada con nosotros, mostrándome la corbata que acababa de elegir en la boutique del barco, sonriendo para siempre, aureolada de una honestidad exultante y agradecida. El pintor me miró y supo que yo estaba evocándola y que, por fin, una parte de la historia me pertenecía. Probablemente en ese instante obtuve finalmente mi presa, la otra historia, la que Gauna había farfullado con torpeza en su carta y que solo el pintor podía contar desde lo profundo. El largo día de setiembre había comenzado a amanecer, porque el pintor olvidando por una vez el recelo dijo:

Usted sabe que ama a alguien cuando el miedo de perder ese amor se hace más devastador que el amor mismo —con cansancio entrecerró los ojos y buscó en la memoria la cita:

Or I shall live your epitaph to make,
Or you survive when in earth am rotten;
From hence your memory death cannot take,
Although in me each part will be forgotten,

"O viviré para hacer vuestro epitafio, o sobreviviréis cuando yo podrido esté en la tierra; no podrá la muerte desarraigar de aquí vuestra memoria, aunque todo lo que hay en mí sea olvidado". Por supuesto, es Shakespeare, el "Soneto 81" y perdone mi irreverente inglés. El miedo y la memoria luchando contra la muerte y el olvido. La ilusión de pervivir gracias a un soneto. La belleza que es capaz de nacer del pavor a lo informe, a la aniquilación.

Esa mención al amor fundamentada en Shakespeare no deja de ser un indicio de que el pintor va a responderme, por fin. Por primera vez ha utilizado esa palabra, la única que no había tenido cabida en su discurso evasivo y reticente.

Pedimos más caña y nos miramos como dos jugadores en medio de una partida o como dos boxeadores exhaustos de su combate. Todavía flota entre ambos el recuerdo de Angélica, su figura desgarbada y la invencible seducción de sus maneras. El pintor estira una mano y dibuja en el aire un signo indescifrable, un gesto lento y armonioso que parece materializarse en la atmósfera oscura del bar. Su movimiento remite a la pintura y a la música, es una pincelada y a la vez el gesto concentrado y exacto de un director pautando los compases de una melodía.

El *Cuarteto en Re* de Borodin, especialmente el tercer movimiento, el *notturno andante,* murmura para sí el pintor, como si estuviera oyéndolo. Esto tampoco se podría pintar, afirma en un tono bajo, sepulcral. El secreto sería hacerlo sobre el papel de arroz, fino y leve como un pétalo: reproducir esa sensación con un único trazo que la condense, la pintura japonesa *sumi-e.* Lograr que la estructura no preceda al gesto y el impulso se abra paso como el flujo natural del sentimiento mismo. Pero nada como las huellas, los pequeños piecitos en Clastres, evoca enternecido. Es lo que debe perdurar: basta de Rembrandt, de Cézanne, Dios no logra distinguir un Torres de un Picasso. Ni siquiera sabe que uno fue un hijo de puta y el otro un santo.

Lanza una carcajada corta y bebe un sorbo de caña, repite la pincelada en el aire e interrumpe el gesto como si de pronto lo olvidase. Se quita con la otra mano la gorra y la coloca con cuidado sobre la mesa. También el amor, murmura, perplejo, estremecido, el amor tal vez pueda salvarnos.

Luego, entrecierra los ojos y comienza a contar.

3

LA ORILLA DE ARENA

Hijo del humo vano, peregrino entre nieblas,
hoy regreso a los sueños, humilde y caminante
y lo vivido escribo sobre la inestable arena

Beltrán Martínez

1

Con lenta y trabajosa maniobra el barco ha ido alejándose del muelle de la dársena. El feriado de Semana Santa determina un trasiego de pasajeros de ambas márgenes del río. Los uruguayos regresan y los argentinos parten. En esa noche calma del otoño recién comenzado, el *Ciudad de Buenos Aires* hará su travesía del estuario con capacidad colmada, viajando muchos pasajeros sin camarote. Pese a la tragedia que seis años atrás, en una fría noche de julio, viviera el *Ciudad de Asunción*, al chocar con el casco de un barco griego, hundirse y arrastrar a la muerte a cincuenta y ocho personas, el cruce del Plata en los buques de línea de la Compañía Dodero sigue siendo una costumbre popular gracias a la disponibilidad de boletos de primera, segunda y tercera clase. Con buen tiempo, el viaje nocturno ofrece distintas posibilidades de comodidad y esparcimiento, por lo que en ciertas fechas como esta, las cubiertas y salones desbordan de turistas.

Yo había llegado temprano al puerto, tras unos días en que el descubrimiento de Buenos Aires, ese sueño alternativo y módico que la pequeña clase media ilusiona en mi país como antes lo hacía con Europa, se había cumplido como mi primera salida fuera de fronteras. El domingo anterior había cumplido dieciocho años, almorzando solo en un restaurante de autoservicio de la calle Florida, por lo que para viajar, antes había tenido que tramitar el permiso correspondiente con la autorización expresa de mis padres.

Buenos Aires era las matinés televisivas con películas de Enrique Serrano, Pepe Arias y Olinda Bozán. Era los números de *El Gráfico* que de pequeño había repasado tantas veces en la peluquería de la calle Yatay, esperando que Iván o el Toto hicieran correr sus máquinas cero por mi nuca. Era las bolitas argentinas que algún niño privilegiado ostentaba sólo para chantar, porque pagaba en el juego con las comunes nuestras. Era esa música misteriosa y triste llamada tango, inaccesible para un niño, que mis padres escuchaban a veces en la radio, junto con boleros o temas folclóricos, en los *Bailables Sanidor* de los domingos. Una música que yo identificaba como el fin de un día de diversión, con sus historias de adioses y fracasos, sus miserias y esplendores mezclados en letras de extraños significados, pero que con los años llegan a entenderse y a partir de ese momento el tango se hace inseparable de cualquier paisaje o calle bonaerense. Después aprendería que mi ciudad era el territorio de la milonga o el candombe.

Era, también, el aprendizaje de lo desconocido, en una ciudad nueva, tentacular y cosmopolita, ocupando por primera vez un cuarto de hotel, sin baño privado, en un segundo piso por escalera. El hotel, llamado por casualidad y para aliviar mi nostalgia, Montevideo, estaba a veinte metros de la calle emblemática, Corrientes, y desde la ventana de la habitación solo se veía azoteas, pozos de aire y las fealdades diversas de los contrafrentes cercanos.

Mientras subía sus escaleras el viernes de mi llegada, sentía el sopor húmedo de la nueva ciudad atravesando el casimir del terno gris y el tufo del smog pegándose a mi piel como el afable saludo de un perro sucio y desconocido.

Había ingresado a la ciudad por aire, inaugurando también mi primer vuelo, un salto perfecto y demasiado breve en un Caravelle de Aerolíneas Argentinas. Mientras sobrevolaba Aeroparque pude ver la dilatada cuadrícula de incontables manzanas y parques, su costanera tendida junto a la extensión marrón del río y el trazado de sus calles y avenidas, las más largas que conocería en mucho tiempo. Desde la altura, me parecía todo como un simulacro a punto de desvanecerse entre cualquiera de las nubes que iba hendiendo la nave en su descenso: Buenos Aires estaba allí y a mí me costaba creerlo.

Vestido de traje gris y chaleco, repantigado en el mullido asiento del jet y reprimiendo el asombro a cada momento, fui anticipando los días que me esperaban con el invencible optimismo de entonces, la juventud y la inocencia mezcladas en la barba incipiente y el resabio de algún gesto aniñado que traicionaba el empaque de mi media medida de Casa Rim.

3

El que tenga el corazón
gastado de falsos amores
búsquese una novia en Flores
y hallará su salvación

Yo no conocía a Luis Cané ni su *Elogio un poco cursi de las novias del barrio de Flores*. No tenía noticias de Lugones ni de Cátulo Castillo. No sabía quiénes eran Borges y Leopoldo Marechal. Ignoraba que alguien llamado Cortázar había inventado un puente de palabras entre Buenos Aires y París en el pasaje Güemes, a pocos metros del diario *La Nación*. Tampoco sabía que un mediodía, muchos años después, iba a conocer al siempre preocupado Ernesto Sábato, quien me había mostrado la verdadera Buenos Aires subterránea dominada por ciegos.

Sí, entonces era una especie de iletrado sobre la ciudad a la que ingresaba desde el cielo, volando en un Caravelle.

Como contrapartida era capaz de recitar de memoria los nombres de la delantera de Estudiantes de la Plata o de Racing Club y gracias a la lectura de *Siete Días Ilustrados*, sabía que llegaba a un país regido por una dictadura militar y gobernado por Onganía, un general con cara de morsa y semblante enojado que se declaraba "profundamente católico, nacionalista y anticomunista". De la misma manera que en otro tiempo el consumo de *Rico*

Tipo me había dado una idea sobre la era del doctor Frondizi —un presidente altamente caricaturizable que era "desarrollista, liberal y pragmático"—, con las viñetas de Divito sintetizando la vida de los porteños de entonces.

4

En el hall de ingreso de pasajeros se habían formado filas de viajeros delante de las ventanillas de trámites migratorios. Yo había despachado mi valija desde tierra y sólo llevaba un bolso de mano con algunos *souvenirs*, revistas, un pulóver y algunas vituallas para afrontar una noche sin posibilidades de sueño. En vez del formal traje gris de una semana atrás, ahora vestía un pantalón y una campera corta de pana, con bolsillos, corte y pespuntes estilo *far-west*. Los había comprado en una boutique de la avenida Santa Fe. La campera era negra y el pantalón beige claro.

Silbando una canción de moda salí a la cubierta para sustraerme del bullicio de la partida. El barco se iba abriendo paso con lentitud por entre la pestilencia del canal, las aguas plomizas, espesas, los cargueros fondeados, las chatas de transporte fluvial, los pequeños diques con embarcaciones semidesguazadas. Al fondo de esa sucesión de hierros, cadenas y cascos, crecía la negrura y las luces de la ciudad se recortaban sobre ella como un pobre trazado de constelaciones bajas, achatadas bajo una nube de smog.

Apoyado en la baranda me dejé llevar por la dulce nostalgia del alejamiento, recién inaugurada en mi memoria. Pasaron largos minutos en que, uno por uno, los puntos de referencia reconocibles de la ciudad fueron desdibujándose.

Una ciudad puede ser tan irreal desde el aire como desde el mar, pensé, con esa facilidad lírica de los descubrimientos tempranos y embriagado del fervor de regresar a casa para contar todo lo vivido.

Al oeste, las brumas del ocaso y la huella clara del crepúsculo marítimo se abatían sobre el horizonte de ciudad que aún se divisaba. Más lejos, la ribera de Avellaneda y Quilmes se estiraba como una débil sucesión de luces anémicas y amarillas que se iban apagando en la distancia.

A medida que salíamos a río abierto, el viento empezaba a hacerse sentir en rachas cada vez más continuas desde el suroeste. Iniciaba el cruce del famoso estuario de las lecciones de geografía, la confluencia formidable de aguas vertidas por el Paraná y el Uruguay para dulcificar y enturbiar las del océano hasta mucho más allá de Montevideo, a casi trescientos cincuenta quilómetros hacia el oriente. Ese extraño maridaje de extensión y anchura marítimas con contenidos de río inventó ese espacio marrón y monótono, de difícil navegación por los cambiantes caprichos del viento, las corrientes encontradas y la sedimentación en la desembocadura de los ríos. Entonces no sabía que esa vocación indefinida del río que se anima a ser mar y la socorrida hermandad harto proclamada entre vecinos, habían creado también una zona de pasaje, de mimetismo entre las dos orillas. Una voz impersonal y penetrante me sacó de mi ensimismamiento en las aguas:

¡Pasajeros que todavía no se han registrado, pasen por las ventanillas del hall principal!

El dueño de la voz había pasado junto a mí, dirigiendo su recomendación a todos los que estaban en cubierta. Era un negro alto y atlético, vestido de camisa blanca, corbata y pantalón azul. Al caminar jugueteaba con unas monedas, que arrojaba hacia arriba con su mano derecha y con destreza las recogía con la izquierda.

Al regresar de su recorrida, yo todavía estaba allí.

¿Ya se registró, botija?

El "botija" me sonó familiar, pero levemente irrespetuoso. La azafata del Caravelle me había llamado "señor". Tal vez, gracias al traje, lo parecía. Pero a su vez, esa expresión, botija, era típica de mi ciudad. En Buenos Aires se dice "pibe" o "purrete", inclusive chico o chiquilín. También muchacho, pero no botija.

No tengo camarote, le respondí.

No importa, en este barco todo el mundo tiene que estar registrado. ¿Hizo migración? Es uruguayo, ¿verdad? ¿Tiene su tarjeta de ingreso al país, botija?

Apabullado por el tono perentorio del moreno, busqué en los bolsillos de la campera y le mostré la tarjeta. Él la miró y me la devolvió con una sonrisa, indicándome por dónde volver al hall de recepción.

Vaya enseguida porque en media hora se cierra la oficina, dijo con gentileza. Si no, mañana en el arribo no va a poder bajar hasta no terminar el trámite.

Con parsimonia volvió a arrojar sus monedas al aire y a recuperarlas con destreza circense y siguió caminando por la cubierta en busca de más distraídos o remolones. Luego se volvió y dedujo, haciendo una guiñada cómplice:

Veo que es su primer viaje, así que si tiene algún problema, hable conmigo. No es lo más aconsejable hacer el cruce sin camarote: cuídese de los "avivados" que andan a la pesca de los que se quedan dormidos en los descansos de los pasillos. Sin que se dé cuenta, le birlan la billetera. Y no pierda de vista ese bolso.

Yo hice un gesto de asentimiento y le devolví la guiñada. No era muy tranquilizador lo que me acababa de decir: había demasiados pasajeros en el barco, con o sin cabina, y por ahora yo no conocía a ninguno.

5

Cuando regresé al hall de recepción, el movimiento había disminuido y realicé el trámite sin necesidad de esperar. El empleado me comentó que si quería acortar la travesía, el restaurante todavía funcionaba y a media noche se abría la *boîte*. También tenía la posibilidad del bar ubicado en proa, con acceso desde cubierta y a través del corredor central.

En los estrechos pasillos el pasaje entraba y salía sin cesar de sus cabinas, y deambulaba errático hacia las cubiertas o en busca de los salones de estar. Había una euforia desmedida en los argentinos que comenzaban sus cortas vacaciones y una ansiedad contenida en los que como yo, regresaban al país. Esa mezcla de actitudes determinaba un peculiar ritmo en las conversaciones, estridentes y aparatosas en unos y resignadas y cansinas en otros que, habiendo gastado casi todo su dinero en cinco días, medían el bolsillo y no veían la hora de desembarcar para llegar a casa.

A mí me habían sobrado algunos "nacionales" y podía permitirme el lujo de cenar en el comedor.

Uno de los sueños que había alentado en mi viaje era el misterio de las "porteñas". En mi barrio se decía que te miran pero no "te dan bolilla" y adelantados en el cruce del estuario eran capaces de re-

latar con lujo de detalles los pormenores de frustra-
dos flirts en confiterías de Corrientes o Florida. Son
lindas, se arreglan bien y se visten a la moda, pero
no se entregan así nomás, era la conclusión del saber popular que alimentaba la leyenda. En eso, las
provincianas son más accesibles y divertidas, no tan
estiradas y remilgosas como las de la capital, senten-
ciaban los expertos que me habían precedido en la
aventura de los galanteos en Buenos Aires.

6

Yo había fantaseado con romper esa regla aplicando variadas estrategias de seducción. Había ofrecido el asiento en el subterráneo y cedido el turno en el embarque para Tigre. También había fingido conocer a quien en realidad no conocía. Finalmente, el logro más señalable fue una breve pregunta a las ocupantes de una mesa en la confitería de Corrientes y Suipacha:

¿Le gustaría a alguna de ustedes indicarme cómo llegar a Avenida de Mayo?

Las tres se habían sonreído y mirado entre sí mientras yo me adueñaba de la cuarta silla para sentarme y aguardar que decidiesen. Ninguna me respondió la pregunta inicial, pero ese sábado me deparó el conocimiento nocturno y por mí no esperado de Burzaco, un pequeño y olvidable pueblo al sur de la capital, al que llegué en tren, acompañando a la menos agraciada del grupo, la única capaz de romper el recato y la esperada indiferencia y apiadarse de mi evidente extravío.

Tras la caminata desde la estación a la casa, un inesperado fervor hospitalario incluyó invitación a pasar, café, repaso de álbum con fotografías, ejecución al piano de la anfitriona de *Para Elisa*, galletitas y bombones de Harrods. En todo ese tiempo, la madre vigiló en silencio nuestra conversación, rígidamente sentada en una de las sillas del comedor estilo provenzal. No intervino en el diálogo una sola vez ni pareció interesarse en lo más mínimo sobre mi persona: más bien lo contempló todo desde una lejanía embotada, aprobando apenas con una media sonrisa los tópicos que uno tras otro iniciaba su hija.

Pasada la media noche, Esther —así se llamaba la chica de Burzaco—, Esther a secas, sin apellido ni pasado y mucho menos futuro, una joven delgada, pálida, desolada, simple, formal y educada, me indicó que debía retirarme porque al otro día trabajaba. También me advirtió que era probable que el último tren a Constitución estuviera a punto de pasar.

Corrí las seis cuadras hasta la estación sin posibilidad alguna de contemplar los atractivos suburbios de Burzaco. Al salir me había despedido con un inocente beso en la mejilla de Esther y un apresurado hasta pronto a su madre inmóvil.

Antes de cruzar el portal del pequeño jardín de la casa, me había vuelto y saludado a mi reciente conquista con un gesto vago, un adiós y un para qué resumidos en mi mano derecha vacilante. Ella me miró y sonrió con una resignada tristeza. Tenía veinticinco años y vivía en Burzaco, con su madre y un hermano menor que sólo le daba problemas. Trabajaba en la telefónica del pueblo y había tenido un novio que la había dejado dos semanas antes de casarse.

¿Qué absurdo encuentro había sido ése?, cavilaba ya en el tren, que corría semivacío hacia Almirante Brown. ¿Qué será de Esther de Burzaco y de mí, luego de esta noche? Mirando a través de la ventanilla hacia la negrura y las luces vertiginosas de los suburbios aledaños a las vías, pensaba en las fotos inútilmente vistas, en la música torpe y entrecortada que una vez había pertenecido a Beethoven y en la conversación anterior, primero en el subte y luego en el tren hacia Burzaco, mi vida resumida en una hora y media contra la de ella condensada en dos. Metí mi mano en el bolsillo lateral de la campera y encontré un pequeño envoltorio: un bombón, la hospitalidad de Esther, el asentir autómata de la madre ante el inventario de lugares comunes, los adornos y *souvenirs* de cristal y porcelana atiborrando el bargueño y las diversas mesitas circundantes, un gato que nos mira y se relame echado sobre la alfombra, el silencio de la noche sobre un suburbio del olvido. Yo, incómodo y arrepentido, mirando la hora con disimulo.

7

El comedor es más grande de lo que suponía, porque el barco lo es más aun. Es el último turno para la cena y no hay una sola mesa libre y los que las ocupan componen grupos que conversan animadamente, beben vino, cerveza y refrescos y solicitan a cada momento el servicio de una legión de mozos. Sigo sin ver a ningún conocido. Para colmo, los compañeros de estudio con los que me reuní en Buenos Aires decidieron permanecer hasta el domingo.

De vez en cuando el barco se inclina levemente y el entorno cruje. Se escucha algunos comentarios aprensivos que son ahogados por la bulla de los más jóvenes en tren de juerga. Me gustaría comer el último bife argentino con papas fritas y tomar la última Quilmes bien helada. Evoco la cena en Los Inmortales, con un aspirante a médico obsesionado por comprar instrumental quirúrgico barato y un futuro contador deslumbrado por las *vedettes* de los Teatros de Revistas. El estudiante de medicina traza planes para que en la aduana no le requisen los bisturíes y escalpelos que piensa llevarse. El otro sueña despierto con las tetas de Nélida Lobato. Yo especulo con la compra de una guitarra Gibson Les Paul que vi en un empeño del Once.

Luego del postre, el de los bisturíes propone ir al Bajo. Aquí todo es barato y los polvos también, dice y renuncia a uno de sus cuchillitos.

Inútilmente camino entre las mesas en busca de una libre. He comenzado a sentir cansancio y el bolso me pesa más de lo esperado. Contiene el pequeño botín de los días que han pasado tan rápidamente, los objetos que prueban que estuve allí.

En un rincón del salón, en una mesa pequeña junto a uno de los ventanales que dan al río, una joven consulta el menú. El cabello rubio y lacio le cae sobre los hombros y el buzo amplio de algodón color verde botella le va con la tez mate de su rostro. La mesa oculta sus piernas, pero adivino un jean, tal vez Lee o Levis y botitas de gamuza acordonadas o, en su defecto, de cuero y con plataforma. En la silla que la enfrenta, un bolso grande, tipo marinero, ocupa el lugar de un comensal, ¿momentáneamente ausente, demorado en su cabina, inexistente?

Una oportunidad en quinientas, mil, en esa noche de obligatoria vela. Al menos la cena, pienso, antes de acercarme y pedir permiso.

Ya junto a ella, destrabo como puedo el nudo de la garganta. Finalmente recurro a lo obvio:

El comedor está lleno y viajo solo, ¿me puedo sentar contigo?

Sus ojos dejan de mirar el menú y me escrutan con indiferente curiosidad. Son ojos enormes, claros y le hacen juego con el resto de la cara: la nariz pequeña y recta, la boca grande, imperfecta y seductora, proclive seguramente a responderles que no a los desconocidos. Espero oír:

No. Mi novio fue al baño y ya viene.

No. Estoy con mi mamá que ya baja del camarote.

No, disculpame. No te conozco, no sé quién sos.

No. Prefiero cenar en compañía de mi bolso.
Sin embargo, cierra el menú y responde:
Está bien, sacá el bolso y sentate.

Pensé por última vez en Miss Burzaco y en sus dedos resbalando con torpeza sobre las teclas. Recordé la caminata por Palermo y los antiguos carruajes conocidos como "mateos", estacionados junto a la puerta del zoológico, bajo la sombra de los árboles de la avenida que circunda el monumento a Garibaldi. Hubiera sido un desperdicio alquilar media hora de paseo para gastarla con el futuro contrabandista de bisturíes o el amante ficticio de Nélida Lobato. Pero con ella, la desconocida de la mesa, la que acababa de concederme el bien de una cena sobre el estuario, habría valido la pena.

¿Sos argentina?, pregunté, con la esperanza de que no lo fuera.

8

Soy argentina y es la primera vez que viajo sola al Uruguay.

Fijate qué casualidad, mi caso es a la inversa.

¿Te gustó Buenos Aires? Seguro que tenés parientes. ¿Amigos? Es una ciudad muy grande, yo misma no la conozco. Rivadavia es la avenida más larga del mundo: quince quilómetros doscientos cuarenta y siete metros.

Me gustó, claro. Voy a volver muchas veces: me hice grande allí. Eso debe tener alguna importancia. Cuando llegué tenía diecisiete y ahora traigo dieciocho. Recorrí mucho, con amigos y solo. Conocí a alguien de Burzaco. Estuve de noche en la calle Caminito. Recorrí los anticuarios de San Telmo y visité parientes que no conocía. Ya aprendí a andar en subte.

Estuve en Montevideo de chica y también en el campo, en Colonia. Cuando Perón, ¿sabés? No había vuelto más. Me acuerdo de poco: las playas, un edificio alto y para mi gusto horrendo junto a una plaza, un barrio con chalets y árboles, muy tranquilo, el parque de diversiones junto al río.

Llegó el mozo a tomarnos el pedido y Angélica —todavía no mencioné que así se llamaba— eligió tomates rellenos y de segundo plato pollo con ensalada. Yo bajé mis pretensiones del bife y me conformé con antipasto como único plato, previen-

do que a lo mejor tendría que pagar la cuenta en re-
tribución al lugar y a la charla. No obstante, no re-
nuncié a la cerveza.

Durante la cena, casi no hablamos. Pareció
que el clima de circunstancias acabaría imponién-
dose, que las coincidencias terminarían en el postre.
Apenas el dato de que todavía estaba en el secunda-
rio, que hacía poco se habían mudado del Centro al
barrio de Flores con sus padres y un hermano y que
tenía vocación para el periodismo, heredada de su
padre. Me confesó que le gustaba su nuevo barrio,
porque como alguien había dicho, su cielo tenía estrellas que el Centro no conoce.

Yo correspondí las breves revelaciones con
otras también breves y fui cauto y de una manera
calculada, lacónico. Familia, estudios y vocaciones
descritos casi por cumplido. También le confesé
amar mi calle y mi barrio, si bien era seguro que no
tenía más estrellas que cualquier otro. Por fin, tras
la última porción de flan, revelé:

Viajo sin camarote.

Ella lanzó una risita corta, divertida.

Yo también, repuso.

Luego de pagar, me levanté antes que ella,
aguardando que hiciera lo mismo. Supuse que la
charla habría de continuar en otra parte, en cualquiera de los sitios que dos personas sin camarote
pueden ocupar en un barco que ha de navegar toda
la noche. Y Angélica era todo lo que yo necesitaba
para que esa noche fuera digna de contar.

Podríamos ir a bailar, la *boîte* abre a medianoche, le propuse, anhelante y suficiente a un tiempo. Ella bajó la vista y dobló la servilleta en cuatro.

Luego ensayó una negativa con un lento movimiento de cabeza. Iba a decir algo, cuando alguien se acercó a la mesa, una mujer de unos cuarenta años, alta y elegante:

Angélica, linda, qué casualidad.

Nos miramos los tres, sonreímos. La mujer se dobló sobre Angélica y la besó. Fui presentado, saludé y me aparté. Pensé que lo mejor era retirarme. Farfullé una disculpa, insistí en lo de la *boîte* y pacté un encuentro en el hall de ingreso. Luego, tomé mi bolso y las dejé conversando. Una amiga de la madre, había explicado Angélica sin confirmar luego que aceptaba mi invitación. Los comensales abandonaban el comedor y fui arrastrado por un grupo de jubilados que hablaban de precios, de hoteles y de excursiones a Punta del Este.

9

En la aglomeración, alguien me tocó el hombro. Era Doc, el contrabandista de bisturíes. Estaba un poco bebido, a juzgar por el aliento.

Conseguí pasaje al final, aclaró. Es más fácil pasar mañana por la aduana: traigo de todo. Compré alemanes y una pequeña maravilla sueca. Los tengo en el saco, tocá. Cosiditos entre el forro y la tela, es pesadísimo y muy peligroso, si me caigo puedo clavarme alguno en el culo. Pero vale la pena: compré de todo, hasta separadores y pinzas. Parezco la mesa de Ben Casey. ¿Querés un poco?

Me mostró el pico de una botella asomando de una bolsa, como en las películas. Lo rechacé y seguí caminando hacia donde se suponía estaban los baños.

¿Tenés camarote?, preguntó el chico de los cuchillos, sonriente, realizado.

Claro que no.

¿Sabés a quién vi?

Me encogí de hombros y lo miré intrigado: me pareció oír un campanilleo, algo así como un cencerro, sonando dentro de él.

Está Miguel. Viaja en tercera y parece otro, no me saludó y se puso pálido cuando me vio, me advirtió el quirófano ambulante y siguió con su tintineo.

Los conocidos empezaban a aparecer: Miguel concurría al mismo Preparatorios que nosotros y desde fines del año pasado no habíamos tenido más noticias de él. Se comentaba que pertenecía a una organización revolucionaria y que había pasado a la "clandestinidad". Estudiaba, como yo, bachillerato de Abogacía y le gustaban, como a mí, Los Beatles. También disfrutábamos con Alfredo Zitarrosa y habíamos estado en los conciertos *beat* del Teatro Odeón. Íbamos a los bailes del Club Náutico y comprábamos pantalones Levis legítimos a un contrabandista que paraba en el boliche El lance.

¿De dónde venía Miguel y hacia qué iba? De pronto, la larga noche sobre el estuario empezaba a inquietarme.

Fui al baño, me lavé las manos, me peiné y levanté el cuello de la campera. Salí al amplio hall de recepción y pregunté a un funcionario en dónde quedaba la *boîte*.

No se puede entrar con bolsos, me advirtió. Está en proa, justo debajo del comedor, bajando la escalera.

Las dificultades se sumaban y no tenía la menor idea del paradero de la chica rubia. Decidí ir al lugar de los hechos para resolver sobre la marcha. Afuera y a juzgar por el aspecto de los que venían de cubierta, el viento arreciaba. Se escuchaban puertas cerrándose con violencia y crujidos leves pero continuos. Un permanente bascular del piso indicaba mar gruesa.

Me metí en un corredor extenso y caluroso marginado de camarotes. El bolso me estaba fastidiando y no sabía dónde meterlo. Llegué a un descanso en el que el pasaje se bifurcaba en dos direcciones. Tomé a la izquierda y llegué a una puerta cerrada y estampada con un rótulo:

SALIDA DE EMERGENCIA

Regresé por donde había venido y una figura conocida me cerró el paso. Las monedas volaron delante de mis ojos y la sonrisa blanca y cordial anticipó el comentario, burlón, suficiente:

Lo noto perdido, botija. ¿Adónde quiere llegar?

A la *boîte*, respondí y pedí permiso para pasar.

Por acá no se llega. ¿No andará tanteando puertas? Nooo, no tiene pinta para eso. Por veinte nacionales le puedo guardar el bolso, porque a la *boite* así no entra. Por cien le consigo un camarote por media hora. A su edad son todos rápidos. Si sale cara, lo dejo pasar, si sale número me da la botella que guarda ahí.

No tengo ninguna botella, por favor, déjeme pasar.

Vio que yo estaba confuso, pálido tal vez. Lanzó al aire la moneda y sin mirar la atrapó con una mano grande como una baldosa. Luego torció la cabeza para observarme de arriba abajo, socarrón y totalmente calmo, dominador.

Se creen que un barco es un parque de diversiones, habló como para sí, con voz grave, sensata. Finalmente se apartó para dejarme pasar. Yo bajé la vista y me deslicé de costado hacia una posible salida. Transpiraba.

La noche va a ser larga, botija, me advirtió cuando me iba. Leonel consigue todo: camarote, bebida, una mesa de timba, escondites... pero no transe con nadie más, ¿me entiende? —agregó— y no se regale jugando al explorador, mire que aquí adentro viaja de todo.

10

Era la primera vez que sentía miedo durante el viaje. Había caminado solo por calles desconocidas y había afrontado relativos peligros como regresar a deshoras desde Burzaco al Centro. Con mis compañeros estuvimos en el Bajo y en la Boca, buscando un mítico prostíbulo a medianoche y nos asomamos al misterio del amanecer en el Parque Lezama. En ninguno de esos momentos había experimentado la más mínima aprensión, porque en el descubrimiento de la ciudad desconocida había puesto la ilusión de sentirme inmortal, inmune a los peligros, protegido por la certeza de que la juventud era mi salvoconducto y mi escudo contra el acecho de la fatalidad.

Tal vez Leonel es un aprovechador, pensé para tranquilizarme, un oportunista que no puede cumplir una sola de sus amenazas. Puedo denunciarlo.

Aferrado al bolso y un poco más sereno, llegué por fin a la entrada de la *boîte*. Era un vestíbulo amplio al que se accedía por dos escaleras laterales. La puerta era ancha y de cuatro hojas recubiertas de un empapelado azul brillante con motivos geométricos dorados que vagamente evocaban una constelación. En Montevideo nunca había estado en una *boîte*. Mis amigos mayores iban a Los Pinos o a Baiuca y también al Rambla's, que era solo un baile un poco más sofisticado. En Buenos Aires, habíamos fantaseado con ir a Mau Mau, pero la consumisión era carísima para nuestros ahorros de estudiantes.

Entre las personas que aguardaban para entrar, busqué a Angélica. Había algunas parejas maduras, grupos de amigos que simplemente venían a escuchar música y personal del barco controlando la puerta. Consulté mi reloj y era más de medianoche: faltaban por lo menos ocho horas para el arribo a puerto. No estaba demasiado seguro de que Angélica concurriese a la cita. ¿Por qué habría de hacerlo? Yo era sólo un desconocido que las circunstancias habían arrojado a su mesa, como le había sucedido a Esther de Burzaco. Quizá había logrado ocupar uno de los pocos sillones disponibles en alguno de los halles y se disponía a pernoctar allí, deseando llegar de una vez a tierra para respirar el aire nuevo de mi ciudad en otoño. Sin embargo, me equivocaba.

Sentí primero los pasos en la escalera, desparejos y con un eco metálico. Por un instante creí que era Bisturíes, cargado de filos adheridos a la ropa. Cuando me volví pude verla ya en el vano, un poco encorvada por el peso del bolso marinero, el pelo revuelto y las mejillas y los labios recién coloreados. Llevaba el brazo y la mano izquierda apoyados en un bastón canadiense.

Dios mío, es renga, pensé con sorpresa, pavor y piedad a la vez.

Ella vio mi expresión y me leyó el pensamiento; igualmente sonrió y dio un paso corto, como diciendo: imbécil, puedo bajar escaleras, camino, bailo si es necesario. Tal cual lo había imaginado, estaba vestida con un jean que demostraba que la pierna sana era deliciosamente armoniosa y torneada. La otra o lo que se adivinaba de ella, podía ser más delgada o más corta, inclusive estar apoyada en una bota ortopédica.

Una vez, antes de concurrir a uno de mis primeros bailes, un camarada experiente me había advertido: nunca saques a bailar a ninguna mujer que esté sentada y oculta tras una mesa, podés llevarte más de una sorpresa. Desoyendo ese sabio consejo más de una vez me había topado con enanas, gigantas que emulaban a la de Baudelaire o gordas de la cintura para abajo. El truco era esperar a que se desplazaran para ir al baño o a la ropería y así observar la mercadería como en una vidriera. Ahora, si aquel amigo me viera, confirmaría una vez más el tino de su prédica y rápidamente inventaría un apodo para castigarme.

11

Miss Bastón, pensé con crueldad, y me adelanté hacia Angélica, como si nada hubiese visto de raro, como si todo fuera una broma de Esther de Burzaco que, al conjuro de un maltratado Beethoven y de los efluvios esparcidos sobre el último bombón, me advirtiese desde su lejana prisión que los encuentros forzados sorpresas traen.

¿Todavía querés invitarme a bailar?, preguntó Angélica, basculando levemente sobre su pierna sana, como si intentara un twist. Era tan hermosa que el bastón parecía solo un disfraz circunstancial, la secuela de una reciente excursión a Bariloche.

¿Enfermedad, accidente?, pensé en la pregunta más adecuada o en cómo no preguntar y asumir el hecho con la aceptación genérica ante lo inevitable. Finalmente solo sonreí y le ofrecí mi brazo, con un gesto torpe, condescendiente. Pero ella estaba acostumbrada a la piedad social, a los gestos sobreprotectores, e ignoró mi ademán.

Esta noche quiero que la pasemos juntos, bailando o conversando, propuse con un tono galante y mentiroso, incapaz ya de volver atrás. Nada de lo dicho debió sonarle convincente porque inmediatamente afloró la esperada agresividad:

Te vi la cara, no me vengas con dulces y rosas por compromiso. No soy un monstruo pero no sabés qué hay además del bastón, ¿verdad?, algo de plástico o de acero. Puedo contártelo y eso nos llevaría horas, pero no sé si vale la pena. En cuanto a vos, se ve a la legua que todavía estás en la aventura del primer viaje y yo pude ser la cereza del pastel, la velada piola con la rubia de Flores. Así que vayamos al grano: si tuviera camarote me encerraba, tomaba un Mogadón y a otra cosa. Pero no lo tengo y no quiero quedar a merced de los idiotas que van a andar toda la noche fastidiando. Así que bien podés acompañarme, al menos para que no me roben el bolso y el bastón cuando esté dormida.

¿Y tu amiga?, pregunté sin reponerme del todo tras el discurso.

Tiene camarote, pero viaja con el amante: Angélica querida, cómo te animaste, una prima estirada de mamá con todos los tics de una Peralta Ramos.

No nos van a dejar entrar, comenté, pensando en las posibles derivaciones del plan de Angélica. ¿Y si Leonel me conseguía alojamiento por toda la noche? Ella con su Mogadón y yo en la cucheta de arriba, liberado de dar vueltas por todo el barco con dos bolsos a cuestas.

¿No admiten lisiados?, dijo con expresión divertida y sus ojos fueron como la inauguración de un trozo de cielo. Me pregunté cómo podía hablar de eso y reír así. La agresividad había desaparecido bajo un aire dulce, comprensivo.

No admiten bolsos, por lo cual, o tiramos los nuestros por la borda o dejamos la danza para otro momento.

Esperá, vamos a recurrir a la lástima, propuso y avanzó resuelta hacia la puerta de la *boîte*. El portero la vio venir con el bolso marinero sostenido con una mano y el bastón en la otra. La pierna iz-

quierda casi no podía articularla y la apoyaba apenas porque el bastón canadiense le permitía un sostén más firme.

Por favor, ¿me abre?, solicitó con firmeza y
naturalidad, a la par que me hacía una seña con la
cabeza para que la siguiera. Yo cargué mi bolso con
la presteza de un visitador médico. Por nada del
mundo hubiera querido que Bisturíes me viese a
punto de ingresar a la *boîte* con una renga. Ahora,
la siguiente probabilidad me aterraba: ¿intentaría o
no bailar?

12

El interior de la *boîte* era penumbroso y las únicas luces estaban empotradas en un zócalo circular que rodeaba la pista y en una esfera revestida de pequeños trozos de espejo que giraba y emitía destellos. Había además, sobre las mesas, portátiles con bujías de baja intensidad. Contigua a la pista, una tarima en forma de medialuna servía de escenario. Sobre ella, una batería completa aguardaba a alguien que la aporrease. Dos micrófonos de pie y un par de amplificadores Eko completaban la ambientación. Todo indicaba que allí habría de actuar una orquesta.

En un rincón remoto del salón, una barra iluminada desde abajo y una vitrina de bebidas le daban al lugar una legítima atmósfera nocturna y discreta, apropiada en especial para los que viajábamos sin camarote. ¿Esta es una *boîte*?, me pregunté a punto de tropezar con la primera mesa que se me atravesaba. Desde la barra, el barman empezó a encontrar un nuevo sentido a su enésima travesía del estuario: el globo de espejitos giraba y arrojaba reflejos contra el inaudito bastón.

Como no podía ser de otra manera, antes de sentarnos a una mesa cercana a la pista pude ver, ebrio o indiferente, el rostro inconfundible de Bisturíes, apoyado entre sus manos de futuro cirujano, los codos sobre la mesa, el cuerpo echado hacia adelante, contemplando en privilegiada ubicación nuestra aparatosa llegada, bolsos en ristre.

El resto de los presentes estaba demasiado entretenido en conversaciones bajas o en lúbricos arrumacos, o simplemente escuchando los melódicos temas de Los Panchos que el *disc jockey* del barco estaba seleccionando:

> *Dicen que la distancia es el olvido*
> *más yo no concibo esa razón...*

Ya instalados, descubrimos que no nos animábamos a hablar. Otra vez, la mitad visible de Angélica prometía visiones del paraíso, que se esfumaban debajo de la mesa. Sin saber porqué, me sentía en el umbral de una noche de extrañas resonancias, como si el final de la aventura —como ella lo había definido— me hubiese reservado otros descubrimientos. En todo caso, estaba conociendo un costado oscuro de mí mismo: me avergonzaba el hecho de estar en compañía de una joven marcada por una carencia física. No obstante me esforzaba por mostrarme inmutable y cordial, como si bastón y pierna baldada fueran una simple ilusión óptica que todos padecían menos yo. Después sabría que esa actitud dual se llama hipocresía.

¿A quién vas a ver en Montevideo?, indagué casi por compromiso y para sacarme a Los Panchos de la mente. Por delante nuestro pasó Bisturíes y me dedicó una mirada babosa y burlona. Sentí el tintineo inquietante de su saco, los peligrosos filos rozándose y golpeándose en las entretelas. Iba en dirección a la barra.

Voy a visitar a alguien que no conozco, un antiguo conocido de mi madre, dijo Angélica.

¿Viajás sólo para eso?

¿Vos pensás que el pasado puede modificarse?

La pregunta me tomó por sorpresa. Para mí el pasado era una noción más bien referida a un tiempo verbal o a las amarillentas fotos de los álbumes de familia. La infancia no era pasado. La adolescencia tampoco. A los dieciocho años me parecía que todo quedaba ahí nomás. Si es verdad que antes de los tres o cuatro años uno no recuerda nada, es poco lo que tenía para contar en tiempo pretérito. Yo sólo conocía el presente y lo que verdaderamente me preocupaba era el futuro.

No. Lo que pasó, pasó, respondí sin pensar demasiado.

Pero la distancia no es el olvido —dijo— en todo caso para algo está la memoria. Yo vengo a recuperar una parte de la mía.

Antes de que pudiera pedirle aclaraciones, se acercó el mozo a tomarnos el pedido. Ella pidió un cóctel primavera sin alcohol y yo un Cuba Libre. Jamás había probado uno, pero me pareció adecuado para demostrar un poco de aire mundano, de solvencia nocturna. Desde la barra, Bisturíes no dejaba de disfrutar.

¿Cómo es ahora Montevideo? —dijo Angélica y remarcó el ahora.

Como fue siempre, salvo que tenés que andar con tus documentos encima y se patrullan las calles, como en esas películas de la ocupación nazi. Pero vos mencionaste que venías a buscar el pasado, ¿no?

No sé. Es solo un impulso, no lo entenderías.

De un instante para otro, Angélica regresó a su versión agresiva. Era de nuevo la perfecta extraña que me cedió un lugar en el comedor y estaba claro que su viaje obedecía a motivaciones diferentes a las mías. De pronto sonrió y se pasó una mano por el flequillo rubio. Luego dijo, mirándome directamente a los ojos:

Probablemente, vos y yo no volvamos a vernos más. Me refiero a que todo esto es excepcional: la travesía, el barco, la noche. Ya te expliqué cuáles son para mí las ventajas de estar ahora con vos. Sería honesto que vos me explicaras las tuyas, si no, no vamos a entendernos y las horas pasan.

¿Ventajas?, respondí, con cara de desentendido.

Sí, ventajas, o, sin tanto materialismo, empatías que te llevan a estar conmigo. Y por favor, no me vengas con romances de una noche.

Si hubiera sido honesto, como me pedía, le hubiera dicho:

Cuando te vi, no vi el bastón: me perdí en tu cara y en esa energía que te rodea como un perfume del alma. Después, no tuve agallas para zafar, para admitir que haberte invitado a bailar fue una torpeza y que en todo caso casi no tengo dinero para pagar los tragos. Además, en Montevideo tengo novia y varios regalos de este bolso son para ella.

Siendo cobarde y sinuoso, mentí:

Aprovechemos esta única noche; contémonos todo y luego desaparezcamos. Será como un juego, una suerte de carrera contra el amanecer. Hagamos de cuenta que del intercambio de nuestras historias depende el avance del barco, el destino de todos los que aquí viajan.

13

Nunca sabré porqué inventé esa tontería. Tal vez demasiadas películas en las matinés. Tenía facilidad para imaginar argumentos, aunque no tenía conciencia de ese talento. La idea pareció gustarle a Angélica:

Eso me interesa, a ver, contame más.

Como en *Las mil y una noches*, salvo que disponemos solamente de esta y nadie debe morir cuando las historias se acaben.

¿No vale mentir?

No, no vale, absolutamente no.

¿Y quién empieza?, dijo Angélica, ahora entusiasmada, radiante.

Echémoslo a suertes, respondí mientras nuestras bebidas llegaban y un trío de músicos se instalaba en el escenario. ¿A los dados?, preguntó con cierto recelo.

A cara o número, propuse con sentido práctico. Ella no sabía que entre los *souvenirs* de mi escapada bonaerense traía una moneda de dos caras idénticas, un *penny* acuñado en 1951 que había comprado en una casa de empeños del barrio Once.

Tomé el primer sorbo al Cuba Libre y saqué la moneda del bolsillo de la campera. Con desgano la hice bailotear entre mis dedos. Está probado en forma estadística que la primera elección que se da en forma espontánea es la de número: ocho de cada diez personas lo hacen.

¿Cara o número?

Número, eligió ella y no pude evitar sentirme como una especie de tahúr de las almas. Arrojé la moneda hacia arriba y la atrapé en el aire para depositarla luego sobre el dorso de su mano.

Un penique por lo que pensás, recité y Angélica vio la efigie del Rey Jorge y cerró la mano. Yo puse la mía sobre la de ella y con ternura separé sus dedos para recuperar la falsa moneda, el penique de mentira que iba a comprar su historia.

Los músicos habían empezado a tocar un tema antiguo en versión moderna, apenas con una guitarra, un bajo y el baterista marcando el ritmo de la música que sonaba a vieja película en blanco y negro.

Comienza el beguine, dijo Angélica.

¿Lo conocés? A mí me sacás del *beat* o de Elvis y me pierdo.

A mi madre le gusta, es de Cole Porter, pero estos tipos lo están asesinando.

El *beguine* o lo que fuera había comenzado: de pronto la *boîte* estaba llena y el ambiente espeso. En la puerta, solitario, perniabierto y atento a todo, Leonel vigilaba.

Es mucho el ruido, aquí no podemos hablar, comentó Angélica, probando apenas su cóctel. Dijo esto acercando su cara a la mía y pude sentir su perfume, de ropa limpia y día de sol.

Mejor bailamos, respondí.

"Junto", claro, especifiqué sin tener conciencia de lo torpe de la aclaración. Se bailaba "junto" o "suelto", según la música, y lo que ahora sonaba marcaba la cercanía, por más que su ritmo era difícil de seguir en el baile.

No siempre necesito el bastón, pero en general el piso de los barcos tiende a moverse, comentó Angélica y yo me sentí hundir. Nos pusimos de pie y le tendí mi mano para ayudarla a avanzar hacia la pista. Dio un paso y por un momento temí que fuera a caerse, pero un admirable sentido del equilibrio la hizo dominar la inercia de su propio peso y dar el siguiente. Sobre el bolso, el bastón canadiense quedó doblado en dos lanzando destellos azulados. Cuando nos enfrentamos para iniciar la pieza, yo transpiraba.

Las otras parejas de la pista nos miraron con lástima o admiración. Desde la barra, Bisturíes lo hacía con ostensible y perverso deleite mientras continuaba embriagándose. El trío inició *Strangers in the night* y yo tomé a Angélica de la cintura, acercándola.

No soy un buen bailarín, me disculpé, con un nudo en cada rodilla y sin animarme a moverme.

Prometo no pisarte, repuso ella y se balanceó con toda confianza, rodeando mi cuello con sus brazos. Era sorpresivamente grácil, liviana, y tenía un exacto sentido del ritmo.

14

Mamá hubiera querido que fuera bailarina, pero le fallé. Amaba a Margot Fonteyn y a la Plisetskaya. Ella tocaba el piano: tiene lindas manos y un oído musical heredado de mi abuela.

Me cuenta siempre que antes de cumplir un año yo caminaba y que en realidad tuve poco gateo. En cambio mi hermano, que es mayor un año y medio, tardó en dejar el andador y tenía casi catorce meses cuando dio sus primeros pasos.

Mi abuelo materno vino de Alemania el siglo pasado, pero había nacido en Praga. Llegó siendo muy niño y con sus padres, mis bisabuelos, se instalaron en Córdoba luego de estar un tiempo corto en Buenos Aires. Allá estudió medicina y se recibió. Enseguida conoció a mi abuela, quien era bien criolla porque su familia estaba en la provincia desde la época de las vaquerías, cuando los porteños cazaban vacas cordobesas o santafesinas a punta de lanza. Se casaron y tuvieron cuatro hijos. Mi madre es la menor. De chica la llamaban la Alemana, porque era rubia y la única que había salido con el sello de mi abuelo. Yo heredé el apodo, pero solo papá me llama así. A mamá le revienta. Me puso Angélica por mi abuela materna, Angélica Encarnación Trinidad. A mi hermano lo llamaron Manuel por mi abuelo paterno, quien había venido de Peruggia, Emmanuele Mássimo.

Una mezcla estrafalaria, eso es lo que somos.

Cuando el trío decidió incursionar en ritmos más violentos, prudentemente sugerí volver a la mesa. No me creí capaz de bailar "suelto" sin que la cara de pánico se me notase. Angélica me precedió, basculando entre las mesas, con su ritmo propio y esforzado.

¿Qué había sucedido en esa pierna?

El misterio empezó a obsesionarme, porque la noche y la deriva sobre el estuario, en medio del viento que cada vez cobraba más fuerza, me imponían la búsqueda de un sustituto para el sueño, de una coartada para que la vigilia fuera más llevadera. Sin embargo, lo que realmente me estaba sucediendo era mucho más trascendente, aunque de ello iba a tener conciencia muchos años después. Yo estaba sucumbiendo a "La Gran Embriaguez del Relato", ese misterio que en la niñez se me había manifestado por primera vez en el cuento que me contaba mi madre al darme de comer. Era la historia del lobo y los siete cabritos y su versión siempre era la misma, invariable, idéntica en su desarrollo y desenlace. Si por distracción o por afán de ahorrarse detalles, mamá cambiaba una sola frase de la fábula, yo se lo advertía y la obligaba a retroceder y retractarse. Yo había memorizado cada palabra y el placer consistía en irlas oyendo en el orden correcto, en la secuencia debida.

Obedeciendo a su madre, uno por uno, los siete cabritos se escondieron en la caja del reloj, por lo que el lobo no pudo encontrarlos para comérselos...

La Gran Embriaguez del Relato fue esa noche reinaugurada, como lo había sido cuando mi viejo me contaba las jugadas que hacían Schiaffino y Míguez en el estadio o en la lectura de *La muerte de Iván Illicht* de Tolstoi, realizada para el programa de Literatura del bachillerato. Yo había comprado con un penique falso una historia, irrepetible y verdadera y su dueña me la entregaba a cambio de nada. Porque estaba claro que no habría tiempo para que yo le contara la mía.

15

*No tengo muchos recuerdos de antes de la en-
fermedad o tal vez los que tenía se perdieron en aquellos días de la fiebre. Vivíamos en un departamento
grande y antiguo en Talcahuano y Rivadavia, un
quinto piso donde rara vez entraba el sol.*

*El estudio de papá tenía dos bibliotecas con
puertas de vidrio y un escritorio enorme de roble, con
muchos cajones y cubierta verde de cuero con filetes dorados. Había dos máquinas de escribir, una vieja Remington y una Olivetti más moderna y papá solía escribir en las dos a la vez. Cuando trabajaba en casa,
le gustaba poner en el tocadiscos una música como fúnebre o lánguida, que él llamaba culta y que se escuchaba por debajo de los teclazos de las máquinas y el
sonido de la campanilla de la Remington. Él decía que
esa música le permitía evadirse del insoportable ruido
de Buenos Aires, en especial el de los bombos que
acompañaban las manifestaciones callejeras de los trabajadores.*

Bailás muy bien, le dije, invocando el cumplido más inapropiado. Ella se encogió de hombros
y se acomodó el cerquillo. De a poco la *boîte* fue pa-
reciéndome un lugar opresivo, sofocante. Los músicos se empeñaban ahora en su versión instrumental
del *Tema de Lara*, de *Doctor Zhivago*. Yo renové mi
desprecio por lo que se denominaba "género meló-

dico internacional", que el grupo ejecutante abrazaba con ejemplar tesón.

La ventaja de estar aquí son los asientos, dijo ella, proponiendo discretamente la retirada o una alternativa menos ruidosa. Tal vez se sentía cansada o la pierna le dolía. Era probable que bailar le hubiera significado un gran esfuerzo, poniendo todo su empeño en mantener el equilibrio sin el bastón, por más que yo la había sostenido casi como un terapeuta.

¿Y si nos vamos?, tal vez consigamos algún sillón en los halles. Alguien del barco me ofreció la posibilidad de ubicarme en un camarote, le comenté como al descuido, procurando vaciar de intención la idea.

¿Camarote? Ni sueñes. Además, si me duermo te quedás sin historia, ¿o ya te olvidaste de lo pactado?

No me olvidé, repuse, solo me pareció que estás cansada, que necesitás recostarte, estar más cómoda.

Un fulgor repentino le cruzó la mirada, como si mis consideraciones hubieran sido un insulto o una provocación. De un solo envión terminó su cóctel y me advirtió:

Hace dos horas que nos conocemos y ya estás sobreprotegiéndome, especulando con mis propias fuerzas y suponiendo lo que no sabés. Ese tipo de cortesías me revientan, nenito. Puedo arreglármelas sola, con o sin bastón, en un barco, en un avión o sobre una pista de baile. Para que te tranquilices, en Buenos Aires siempre viajo en colectivo o en subte y nunca acepto el asiento que me ofrecen, solo tomo el que está libre. Somos yo y mi pierna y lo demás, esa compasión, esa lástima, esa imbécil amabilidad corre por cuenta de los otros. La piedad no cura, ¿sabías?

16

*Era muy chica cuando hicimos aquel viaje.
Me acuerdo del olor de los preparativos, algo raro. Un
olor como a humedad y a oscuridad, una calle que de-
sembocaba en el río, el olor de los asientos del taxi, el
perfume de mamá, siempre coqueta aun en los momentos más tremendos. El olor de papá, agrio, mojado
cuando me abraza y yo miro unos árboles que asoman
por encima de un galpón o algo así. Hay olor a agua
estancada y a lluvia, a cosas que se empapan, un olor
indefinido y penetrante que me aturde y me asusta.
Con Manuel tenemos miedo. Porque no sabemos
adónde vamos. Porque papá no va con nosotros.*

*La cara de mamá no parece de ella, está como
en otra parte y no me mira. Escucho un sonido de cadenas que se desenrollan, que se tensan. Huelo lo que
no sé, lo que nadie va a explicarme.*

*Durante años creí que eso había sido solo un
sueño, que jamás había sucedido, el recuerdo de un
cuento que alguien había inventado.*

Caminamos por los largos corredores marginados de puertas en busca de los pequeños asientos
de los estrechos descansos del pasillo. El barco cruje y por momentos oscila, cabeceando sobre las
aguas del estuario. El sonido de las máquinas se am-
plifica en la noche, en el silencio de las puertas cerradas de los camarotes de segunda.

Estoy entendiendo que la inquietud que siento tiene un origen familiar, heredado de viajes anteriores de mis antepasados europeos. Mi sangre estuvo en un barco antes de que yo subiera a este. El mítico descenso al sur, los días de travesía en los pequeños compartimientos de tercera, la comida frugal y repetida, compartida entre paisanos que lo han dejado todo en busca de la tierra prometida. Esos crujidos, esas estrecheces, esa ominosa sensación de soledad en medio del mar, me han precedido y preparado y hoy regresan.

Esperá, quiero ir al baño, dice Angélica, sosteniéndose de las paredes del corredor, pálida. Deja su bolso en el piso y despliega el bastón canadiense. El barco se balancea y vuelve a crujir. Desde el interior de un camarote se escucha un grito breve seguido de una carcajada. Algo de vidrio ha caído y se ha roto y se oye un insulto, una voz grave y extranjera que masculla lamentos y palabrotas.

Seguí, más adelante, al final del corredor, tienen que estar los baños. ¿Te cayó mal el cóctel?

Ella no responde y avanza, presa de una urgencia incontenible, oscilando, bamboleante entre el dédalo de puertas. Yo la sigo con los bolsos, necesitado de aire y de una cama sobre algo que no se desplace.

Llegamos a un vestíbulo en el que desembocan otros tres corredores. En unos pequeños asientos adosados a las paredes, como en la sala de espera de un consultorio, unos pasajeros dormitan. El sonido del bastón golpeando contra el zócalo de metal los advierte de nuestra llegada. Nos miran como si llegáramos de Marte. Es el recelo de que intentemos robarles o quitarles los asientos lo que gobierna sus semblantes. Las luces de la pequeña estancia son duras, implacables, como para que nadie allí pueda pegar un ojo. A lo lejos se abre paso el sonido del agua corriendo en un inodoro, pero nada indica que se trate de un baño común, en general ubicados en los extremos de cada pasillo.

Le hago una seña a Angélica y nos metemos en otro corredor, tal vez más largo. Ahora yo voy adelante, sin saber en absoluto adónde podremos llegar. Pienso en el negro y en su oferta, en el prometido camarote clandestino, por media hora o toda la noche, en la chance de no arrastrar más el cadáver molesto de los bolsos y en la posibilidad de una penumbra amable y horizontal, para escuchar el relato o dormirme con él.

17

Mamá nos consolaba: vamos de paseo mientras papá se queda trabajando. Es por unos días. De paso visitamos a la prima Nubia y a la prima Teresa. Primero vamos a estar en un hotel en el Centro, donde se puede pasear y hacer compras. No bien lleguemos lo llamamos por teléfono a papá y le contamos el viaje en barco y lo quietitos que quedaron antes de dormirse.

Montevideo es muy linda. Tiene calles arboladas y mucho sol, aunque a veces hay viento. También hay playas, preciosas playas con arenas blancas, porque a Uruguay le tocó la orilla del río con arena.

Hay un barrio que conocí con los abuelos, Carrasco, con casas muy lindas y jardines con unos eucaliptos muy altos, que dan una sombra fresca y un olor agradable que hace bien al respirar. Tiene un hotel enorme que da sobre la playa y hay carpas donde se pueden tomar helados o gaseosas. De noche se baila en una gran terraza. Lástima que todavía no es verano.

Les va a gustar mucho Montevideo.

Era lindo lo que nos decía mamá, pero las lágrimas le salían sin que sus ojos pudieran evitarlo, sin que Manuel y yo supiéramos por qué todo eso la hacía llorar.

¿Por qué puedo recordar yo esto si tenía poco más de tres años? Me han explicado que la memoria es un misterio y que nuestra capacidad de evocación también existe para perfeccionar el recuerdo. Tal vez mamá no dijo exactamente eso, pero Manuel puede repe-

tir, palabra por palabra, esto que acabo de contar.
¿Nos inventamos los dos lo mismo?

Encontramos el baño y Angélica se precipitó dentro tapándose la boca con una mano. Lejos de
hacerme mal, el Cuba Libre me había despejado
bastante. Mientras esperaba junto a la pequeña
puerta, desde el fondo del corredor lo vi venir a Bisturíes, zigzagueante y cargado de quejidos metálicos
que se amplificaban en la estrechez del pasillo.
Cuando se detuvo junto a mí, su aliento era lamen-
table.

Parecés el gerente de APRI, dijo y sonrió con
un aire bobalicón.

¿APRI?

Asociación Pro Recuperación del Inválido,
flaco, ¿te la querés voltear? Quisiera ver esa pierna,
vas a tener que contarme. Mirá si adentro encontrás
una prótesis, Dios mío, espero que quede algo en la
cama, dijo Bisturíes y lo sacudió una carcajada corta, gorgoteante. Los filos entrechocaron y repicaron
como diminutas campanas dentro de sus entrañas.

Sos un hijo de puta, Doc, y encima borra-
cho. Si te caés quedás como un colador. Tendrías
que quedarte quieto.

Hay un negro que me sigue, balbuceó y miró hacia atrás con un repentino pánico en el rostro.
Creo que escuchó algo raro cuando salí de la *boîte.*
Estaba parado en la puerta, vigilando todo, debe ser
milico. ¿Hace mucho ruido lo que llevo?, agregó
con preocupación.

Sos una ferretería ambulante, el cajón de los
cubiertos en medio de un terremoto. Además es absurdo que tengas todo eso encima, te faltan más de

ocho años para recibirte y quién sabe si te especializás en cirugía, respondí sin dejar de vigilar la puerta del baño.

No me subestimes, flaco —dijo Bisturíes—, me voy a quedar con algo y voy a vender el resto. Necesito el *Tratado de Anatomía* para empezar los cursos, pero lo mío, no dudes, va a ser abrir. La verdad de la medicina está ahí dentro. Muero por cortar, hendir, separar, obturar, pinzar, extirpar, suturar. ¿Le preguntaste qué fue? Seguro, parálisis infantil. Pero el resto bien, muy bien, flaco. Por ahí esa piernita se puede tapar con la sábana, qué se yo, nadie es perfecto y por lo que vi, en este barco no sacás nada mejor.

En ese momento se abrió la puerta y el bastón de Angélica se abrió paso. Parecía más recompuesta y se había sujetado el pelo con un broche. Bisturíes se apartó para cederle lugar y los recónditos metales protestaron. Lo miré para imponerle quietud y apresuradamente inicié una presentación:

Angélica, él es el doctor Zorba, inventé, porque me costaba mucho pronunciar su apellido armenio de siete consonantes y cuatro vocales. Entre los estudiantes le conocíamos por Doc. Bisturíes sonrió y felizmente reprimió un eructo mientras dudaba en tender su mano. Yo cargué nuevamente los bolsos y aguardé algún comentario de mi amiga. El futuro carnicero esperó lo mismo, aguantando la respiración para que el contrabando oculto no lo transformara en un címbalo humano. Finalmente Angélica respondió con un "Hola" seco, breve y casi inaudible y enfiló nuevamente por el pasillo.

La seguí, mientras Bisturíes mentaba soeces
burlas por lo bajo y me sugería sórdidos métodos de
seducción.

18

Durante la infancia el tiempo se esconde, se disfraza de verano, de vacaciones. Es la duración de un helado o de una leche malteada tomada en La Martona.

Íbamos al sur, a las playas oceánicas de Necochea o Monte Hermoso y viendo las fotos, esas imágenes que te ayudan a inventar recuerdos, me parece que éramos felices. Me contaron que aprendí a caminar en uno de esos balnearios de arenas blanquísimas, sostenida por papá mientras mamá documentaba el acontecimiento con una Kodak modelo cajón. Siempre me comentan que papá era igualito a Hugo del Carril y que el tango no le interesaba. Pero en esa foto, la pose y el gesto, él casi agachado y tomándome de las manitos, yo en puntas de pie, mirándolo con mi sonrisa sin dientes, la piel tostada y el asomo del rubio de los rizos, los dos así unidos, parece que estuviéramos bailando. Ese es el momento anterior a que me largase por la arena con pasos cortitos hasta donde estaba mamá. Fue como si el clic de la foto me hubiera impulsado a soltarme. Mirala, siempre la llevo conmigo.

Cuando llegamos a Montevideo no tenía noción de la duración de un año. Podía ser lo mismo que el tiempo que tardaba en comerme una docena de barquillos. Mamá me contó que enseguida extrañamos y que vivíamos preguntando por papá. Por alguna razón que después tuve que investigar para entender, no nos sacaron fotos en Montevideo. Ni en Solís, donde pasamos un mes en el verano. Ni en el campo, en la última etapa del exilio. Es como si esa época no hubiera existido y su memoria hubiera sido obligatoriamente suprimida.

Pero pese a la fiebre y a la catástrofe que vino después, algunas imágenes guardo. Difusas, incompletas, extrañas, como si no fueran mías y alguien me las hubiera prestado. ¿Alguna vez pensaste en la posibilidad de tener recuerdos ajenos en tu cabeza? Es lo que me pasa con esa época. Tengo recuerdos nítidos hasta el más mínimo detalle y a la vez negruras, vacíos, cosas que sé que están allí y que se niegan a que las evoque. También sé que hay otras que me atemorizan porque no me encuentro en ellas, me habitan y no me pertenecen.

Recuerdo la ciudad, los paseos, las confiterías, la niñera que nos cuidaba, el color rojo de los tranvías, los regalos que mamá nos traía cuando volvía al atardecer. Pero no tengo la más mínima idea sobre un hotel en donde estuvimos al principio, ni la casa de las primas de mamá ni el apartamento que dicen que era soleado y que enfrente tenía un parque, Villa Biarritz. No recuerdo a Manuel en ese tiempo, ni la visita de los abuelos y las tías en verano. Y pese a que lo extrañé, no guardo ninguna vivencia de la llegada de papá al chalet de Solís.

Cuenta mamá que llegó de noche y de noche, tres días después, se fue. En esos días hubo discusiones, ruegos, peleas, promesas, treguas, nuevas peleas, corridas por la playa y encuentros en el Hotel Alción. Todo eso lo sé porque me lo contaron. Dicen que dijo que quería que regresáramos. Hasta el día de hoy mamá lo niega. Hasta el día de hoy papá afirma que fue mamá la que no quiso volver.

Ese matiz de opiniones es importante. Si nos hubiéramos ido yo hoy no usaría bastón. Sé que suena un poco dramático, pero así se manejó el tema en casa y tuve que crecer con esa idea, en la que nunca creí demasiado.

Ahora regreso al lugar del crimen, como se estila en las novelas, y quiero saber por mí misma cómo fueron las cosas. Me costó bastante averiguar por qué, realmente, habíamos venido. También quiero saber, por fin, por qué mamá se quedó.

19

En popa hay una cafetería que quizá todavía esté abierta, intentemos llegar, propuse, con el eco de Bisturíes persiguiéndome.

Espero que tu amigo no se nos pegue, ¿le sentiste el aliento? ¿Qué llevaba en los bolsillos, robó tenedores?

Le conté que Doc era un tipo peculiar y que se había munido de instrumental quirúrgico como para todo el posgrado de Cirugía de Facultad.

Al menos, se trae lo que quería. Nos tuvo toda la semana detrás de sus filos, dije con el desencanto de no haber podido comprarme la Gibson Les Paul. Ella me miró intrigada.

¿Y con ese ruido no avivará a los de la aduana?, preguntó con elemental sentido práctico.

Esas adquisiciones —expliqué— hablan de su voluntad, de la creencia en que a la larga va a abrir a un tipo de arriba abajo, para salvarlo o para ver cómo es por dentro. Esas campanitas que lo acompañan son un pregón, un ejemplo de fe, el monto de la apuesta.

¿Y tus filos, cuáles son?, me preguntó a quemarropa, sin mirarme y caminando a buen ritmo por el largo corredor.

Los míos no pueden colgarse de las entretelas, respondí rápido, porque no tenía ganas de andar explicando cosas que yo mismo no tenía claras. Hacer el bachillerato de Derecho porque no tiene matemática, era apostar a una hoja herrumbrada de antemano. Ser músico de rock tocando por cifrado americano sin saber leer una sola nota en el pentagrama equivalía a un cuchillo para untar manteca, sin filo y con punta redonda: era tan solo una actitud imitativa, el eco de una rebeldía ajena que se había desatado años antes en Liverpool o antes aun en Memphis, Tennessee. Conocer los acordes y la letra de *Madera Noruega* no pasaba de ser la ejecución de un truco aprendido por correspondencia. Apenas el dibujo tenía en mí contenidos vocacionales, porque había sido un talento temprano, un don misterioso, cuando a los tres años reproducía sobre el papel todo lo que me llamaba la atención. Pero las necesidades económicas, la urgencia por una profesión y un empleo, habían condicionado esa habilidad que podía ser artística para encaminarla hacia el diseño comercial y la publicidad.

Los códigos argentinos no me sirven allá, mentí y zafé. Soy apenas un futuro leguleyo que costea su carrera dibujando avisos, aclaré. También puedo tocar *As tears go by* o imitar a Salvatore Adamo, es fácil, dije, fanfarrón, haciendo sonar medallas o bisturíes imaginarios.

20

Llegamos otra vez al vestíbulo principal, como si todos los corredores desembocaran en él y el barco entero fuese un laberinto con una única salida. Los pocos sillones que había ya estaban ocupados y a través de los vidrios de las puertas que daban a cubierta el viento se dibujaba en salpicaduras rasantes de agua del río. Por seguridad se había clausurado el pasaje hacia el exterior y dos marineros lo custodiaban.

Los bolsos ya me pesaban una tonelada.

Deambulando atento y sin pausas, ubicuo e insomne, Leonel dominaba el vestíbulo, vigilando cada movimiento. Cuando nos vio, arqueó sus cejas en un gesto que podía tener múltiples significados. Ya no jugaba con monedas y estaba enfundado en un sacón azul, como si hubiera estado afuera, recorriendo las cubiertas. Enseguida se acercó y yo temí su asedio, ese tono confianzudo y arrogante que era su forma de amenazar.

Ustedes dos deberían sentarse y descansar, recomendó, con un dejo de rezongo, obsequioso a la vez.

Buscamos la cafetería, respondí. El negro sonrió y consultó su reloj. Sus dientes resplandecían. Miró a Angélica y consideró su bastón y luego adoptó una actitud preocupada.

Ya cerró todo, claro —dijo, como para sí—; veamos: no tienen camarote y esto promete seguir moviéndose hasta la entrada misma de la rada, sigue soplando suroeste. Podría ubicarlos, cómo no, Leonel sabe dónde. Si colaboran, se puede solucionar...

No queremos un camarote, intervino Angélica, con una sombra de miedo o hastío en la voz.

¿Un camarote? La señorita se refiere a una suite: camas como en un cuarto de hotel, baño privado, placar para los equipajes y servicio de camarero. Casualmente quedan dos libres en Primera. Podríamos arreglarlo por, digamos, bueno, ustedes se imaginan lo que hubieran pagado abajo. Ahora están arriba y las oficinas cerraron, nadie puede pagar ya el complemento y Leonel tiene las llaves. Tal vez en una de las cabinas funcione un pequeño casino, la otra está a disposición. Piensen lo que van a ahorrarse, miren a esa gente: allí nadie puede dormir, entre la luz y los extraños que merodean, no hay garantías.

¿Cuánto va a costarnos?, pregunté, sin consultarla a Angélica y ella me fulminó con la mirada. Leonel se distrajo en observar a los otros pasajeros, seguro de mi debilidad. Antes de que respondiera, Angélica tomó su bolso y empezó a renguear hacia el descanso de la escalera. Le pedí que me esperase.

Trescientos, botija, y la botella, repuso el negro, sin mirarme, disfrutando del regateo moral.

No le diga nada, agregó, lo hace porque tiene vergüenza. Deme cien y reservamos, cuando la convenza me paga el resto. Es cuestión de tiempo y cansancio, usted verá.

La botella es un regalo para mi padre. La botella no. Y si no va, ¿qué pasa con los cien?, dije, inocente y confundido.

Haga de cuenta que apostó y perdió.

¿Por cuánto tiempo me lo guarda?, claudiqué, mientras Angélica desaparecía escaleras arriba. Leonel había empezado a jugar con sus monedas, impertérrito y paciente ante mis dudas.

El casino cierra a las dos, comentó sin mirarme, embelesado con sus propios malabarismos.

Piense en esa pobre piernita, en su amabilidad de cargar con los bolsos, mire por ahí, los corredores vacíos y todos los asientos ocupados. Es mejor encerrarse, botija, agregó con más indiferencia, recitando el verso de un vendedor de ilusiones que no cree en nada de lo que vende.

No le respondí: apenas me quedaba dinero para la entrega inicial.

21

Ni mi hermano ni yo sabíamos entonces el significado de la palabra "epidemia". Parece que aquella había comenzado a fines del año anterior a la catástrofe. En todo caso, mamá nos ocultó el peligro y un buen día dejamos el apartamento de Villa Biarritz y nos fuimos para el campo. La decisión se tomó, por lo que me contaron, de un día para otro. Lo cierto es que una mañana lluviosa, nos tomamos un tren y viajamos hacia el oeste. Sin preguntar nada, con lo puesto y lo que cabía en las valijas.

Vivimos muchos meses en lo de los Rosas, que eran tíos lejanos de papá. La casa era grande y fresca, y la rodeaba un huerto donde mamá trabajaba. Había un perro que se llamaba Lobo y un gato al que le decían Gato, porque, según decían, le resultaba indiferente tener un nombre. Tenían muchas vacas y a una yo la llamaba Clarabella y era tan mansa que se dejaba pasear llevándola con una cuerda.

No recuerdo ningún día en especial, porque todos eran iguales, salvo cuando llovía y no podíamos salir a jugar. Fue como un paseo que hubiera durado para siempre, hacíamos lo que queríamos. Había muchos pájaros y aromas de plantas, gente extraña que nos mimaba mucho. Tomábamos leche recién ordeñada y a veces escuchábamos una radio enorme que había en el comedor. Nos ponían un programa, Los cuentos del tío Remus, en el que se narraba historias y se escuchaba los sonidos de lo que pasaba. Cuando mamá viaja-

ba a Montevideo, los dueños de casa se dedicaban enteramente a nosotros, nos daban caramelos y nos paseaban en charret. *Hasta Gato y Lobo se ponían más amistosos.*

Mamá decía que iba de compras o a visitar a las primas. Con Manuel sabíamos que iba a ver a ese hombre que había conocido el año anterior. Teníamos claro quién era porque un día nos había invitado a su casa. Una sola vez mamá nos habló de él y fue antes de que lo conociéramos, un mediodía de verano. Nos contó que era un señor muy bueno que estaba ayudándola.

Nosotros no preguntábamos nada y nos llenaba de alegría si después de cada viaje a la Capital, ella regresaba. En el fondo sentíamos pánico que el señor amigo que ayudaba la encerrase en su casa y no la dejara volver.

Ya nos habíamos acostumbrado a que papá no estuviera y sabíamos de quién era la culpa: de Perón.

La culpa. El castigo. Por años iba a hablarse de esa pareja en la familia. Hubo una pasión por encontrar cada culpa y adjudicarle su correspondiente castigo. Fue una contabilidad enfermiza y febril.

La fiebre. La culpa. El castigo.

22

Trepé por las escaleras tratando de alcanzar a Angélica, mientras Leonel se quedaba mascullando advertencias. ¿Era ese el momento de olvidar el pacto y dejarme caer rendido en el primer rincón? ¿Otra vez estaba alejándome de Burzaco? De pronto recordé una vieja historia de unos exploradores en el Ártico, avanzando en medio de un páramo enorme de hielo, cegados por la ventisca y la blancura. Creían ir en una dirección, pero el territorio que recorrían en realidad era un descomunal témpano que flotaba y derivaba en la dirección contraria a la que ellos creían ir. ¿Me interesaba realmente Angélica o todo era producto del devenir de esa noche en el estuario, de las peculiares leyes de encuentros y convivencias que gobernaban el barco? ¿Qué iba a quedar de nuestro deambular y nuestra charla? ¿Hacia dónde estábamos yendo?

Me encaminé nuevamente por un corredor, un poco más amplio que los otros, con puertas de caoba lustrada y alfombra de linóleo al tono. Estaba en Primera y eso se sentía hasta en el perfume de los bronces lustrados de los picaportes. El símbolo se completaba: se accedía al barco en el nivel de Segunda. Por debajo estaba la tercera clase, estrecha y módica, cercana a las bodegas, al calor y al ruido de la sala de máquinas. Por encima, el exclusivo mundo de los escasos camarotes —suites, según Leonel— de aquellos que podían pagar el lujo y el espacio.

En cualquier momento aparecería un Leonel un poco más sofisticado para cerrarme el paso. Como siempre, se trataba de subir y bajar, de ascender o simplemente trepar, de caer o hundirte, regresar a lo que marca tu boleto o colarte por una distracción del que vigila la entrada.

Como un témpano, La Gran Embriaguez del Relato me transportaba sin que yo lo supiese. Fui hasta el final del corredor y llegué a un nuevo vestíbulo, más pequeño que los otros, pero decorado con esmero: naturalezas muertas colgando de las paredes, sofás tapizados en cuero, lámparas de pie y una alfombra tan mullida como un colchón marcaban un contraste radical con el funcional y sobrio ambiente de Segunda.

En un pequeño sillón de pana ubicado junto a una ventana, abrazada a su bolso, Angélica parecía dormir. Cuando me acerqué, abrió sus ojos, sobresaltada.

No te me acerques, traidor, protestó con recelo, ofendida y tensa. Temí un bastonazo o una patada de su pierna sana. Asentí en silencio y junté mis manos en gesto de súplica.

Está bien, no pasa nada, no alquilé ninguna suite. Tampoco quise ofenderte y espero que nuestro trato siga en pie.

¿Cuál trato?, dijo luego de bostezar.

Tu historia y la mía, toda esta gente que espera llegar gracias a nosotros. Por favor, no te detengas ahora, dije con dulzura y le señalé el sofá:

Allí vamos a estar cómodos hasta que nos echen.

¿Gracias a nosotros? El Cuba Libre te hizo mal. Dejame en paz, ya casi estaba dormida.

¿Tomaste tu Mogadón?

Angélica me miró con un resto de ira que poco a poco fue aflojándose en una semisonrisa. Yo le tendí una mano para ayudarla a levantarse y con la otra tomé la cuerda de su bolso. Luego nos instalamos en el sofá mullido y perfecto para escuchar una historia. O para contarla.

23

Después que crecí entendí por qué una parte de mí no se había desarrollado en consonancia.

Del campo silvestre y alejado de todo peligro que en aquellos días de setiembre había recibido las primeras tibiezas, solo conservo retazos de memoria, imágenes de felicidad o de angustia, momentos como los previos a la partida, cuando la fiebre quizá ya estaba acechando.

No sabíamos que papá estaba preso. Pero una tarde mamá nos dio la noticia de que las vacaciones habían terminado y que volvíamos a casa. Igual que al principio, hablaba de cosas lindas pero lloraba. Cuando le preguntamos porqué, nos respondió que era de felicidad.

Al otro día nos fuimos para Colonia, a esperar que un barco cruzase para llevarnos otra vez a Buenos Aires. El tiempo estaba pésimo y había mucha gente esperando volver como nosotros. Nos alojamos en un hotel, antiguo y con olor a madreselva, ubicado cerca del puerto. Tenía un aljibe en el patio, con tortuga y todo, jaulones con pájaros: cardenales, canarios y hasta un tordo, negro y nervioso.

La fiebre llegó, estoy segura, allí, junto a una jaula y como desde las alas de ese pájaro oscuro; ¿por qué recuerdo si no, con total nitidez, ese momento en que algo me atrapa bajo la luz gris de la mañana lluviosa, una sensación terrible de invasión, de letal agobio, como si de pronto estuviera hundiéndome en algo que no tiene manera de describirse, pero que es tan horrendo como la peor de las pesadillas? El tordo se había quedado quieto y me miraba, de perfil, con su ojo amarillo pequeño que parecía una estrella cansada, inmóvil.

A las pocas horas de tener fiebre, empezaron los dolores. En mi mente, el dolor tuvo siempre una imagen única, como de algo que carece de rostro, de forma, pero que está allí, quieto y sujetándome, la pinza enorme de un cangrejo oscuro e inmóvil. Llamaron a un médico y enseguida ordenó que me llevaran al hospital y a partir de entonces, todo en mi memoria se confunde. Había heridos de los combates en el estuario y mamá estaba aterrada. Los Rosas vinieron para llevarse a Manuel, pese a que él quería quedarse y había una mujer rubia que le prometía caramelos si se iba.

Lo siguiente que recuerdo es la llegada a casa en brazos de papá. Otra vez el olor húmedo, agrio, mezclado con loción y tabaco. El silencio de mamá que prácticamente no habla. Voy reconociendo los lugares familiares y todo me parece enorme y desprovisto ya de añoranzas. La respiración de mi padre es como un silbido.

Con infinito cuidado papá me lleva a mi cuarto y me deposita en la cama. Los muebles, las láminas en las paredes, los juegos, el caballito con mecedora, la casa de muñecas, los osos de felpa, están exactamente como los dejé, un siglo atrás.

Me falta un juguete: correr.

24

¿Realmente recordás todo eso?, pregunté, conmovido, agobiado por un antiguo miedo, la huella fugaz de lo que también a mí pudo pasarme. Evoqué el Jardín de Infantes adonde yo iba en ese tiempo, las clases suspendidas o demorando en comenzar y una canción cuyo estribillo me resultaba familiar, si bien no podía en ese momento recordarlo. Hubo algo en mi conciencia que se sacudió, un destello del pasado iluminando el presente.

Recordás lo que sabés y lo que te contaron, lo que viviste y lo que imaginás que viviste, comentó con una certeza teñida de desencanto.

Tal vez no te guste seguir contándome y no es obligatorio que lo hagas, podemos hablar de otras cosas, le propuse.

No. Hicimos un trato y voy a cumplir mi parte. Puedo hablar de lo que sea y siempre estaré hablando de lo mismo, mi pierna está aquí, es mi testigo. ¿Y si te digo que quiero contarte todo? Tengo una buena razón: no te conozco y dentro de algunas horas vas a desaparecer para luego olvidar lo que te confesé. Tomalo como una especie de exorcismo de mi parte o el ensayo de lo que voy a decirle a otra persona. Es mi turno y no vale interrumpir.

A partir de entonces no necesité bicicleta, patines o aro de hula-hula. No tuve que saltar la cuerda y la de la rayuela hubiera sido para mí una rutina natural, aunque en las celdas dobles no habría podido pararme. La fisioterapia nunca dio los resultados esperados y a medida que crecí, comprobé que algunos de mis músculos se negaban a crecer conmigo.

Pero, como se dice siempre, la vida siguió.

Papá volvió, tras su prisión, a ocupar su puesto en el diario que los militares devolvieron a sus dueños. Lo ascendieron y premiaron y una editorial lo invitó a escribir sus memorias de la época peronista.

A Manuel lo vacunaron y quedó inmune a la enfermedad. Pudo empezar el colegio y rápidamente se destacó en los deportes. Sé que siempre le quedó la sensación de que en algo me había fallado, como si el triunfo del virus hubiera dependido de su vigilancia y cuidados sobre mí.

Mamá nunca más pudo llorar, ni siquiera cuando murió nuestro abuelo o cuando el tío Eduardo, su único hermano varón, se mató limpiando una escopeta. Tampoco volvió a ir a misa. Solo le interesó la catástrofe y sus consecuencias, vagar de consultorio en consultorio y de clínica en clínica, buscando milagros o procedimientos para que mis músculos reaccionasen.

En casa y para el resto de la familia, la historia era clara y sencilla: Perón nos obligó al exilio a mamá, a Manuel y a mí. Papá se quedó para colaborar con una posible revuelta y lo metieron preso. Quiso la fatalidad que al final de la separación, el coletazo de una epidemia aparentemente controlada se ensañara con una pequeña inocente, yo.

El viudo sonriente y prófugo era el culpable, hasta el punto de haber enviado él mismo, en uso de un poder casi sobrenatural, los letales microbios de la

enfermedad a mi indefenso organismo. Aunque, años
después, lo iba a oír a papá confesar que en realidad
Perón nunca fue un dictador porque lo eligió la gente,
el pueblo. Con fraude o sin él, con mordaza para la
oposición o sin ella, los votos siempre lo respaldaron. Es
un misterio este hombre, decía papá, perplejo y harto
ya de su combate con el monstruo, como alguna vez lo
llamó. Hasta el final, tuvo la gente detrás. Yo fui su
enemigo, admitía, pero entiendo que las grandes mayorías de desposeídos, de ignorantes, lo siguiesen. A él y
a su mujer. Si yo hubiera sido un cabecita negra, hubiera hecho lo mismo. Desde entonces, este país no sabe para adónde va, aunque él sigue estando, viejo zo-
rro, desde Caracas o Madrid, llevando los tantos. A la
larga, los militares van a tener que pactar con él, lo escuché pronosticar hace poco.

Pero un día, alguien llamó por teléfono a mamá y ella se negó a atender el llamado. El que llamaba siguió insistiendo: mamá atendía y no hablaba, se
quedaba escuchando, la mano temblorosa en el tubo y
una cara que asustaba, porque era de odio.

Con Manuel pensábamos que tal vez fuera el
tirano depuesto el que llamaba.

Hasta que un día tocaron el timbre y mamá
prohibió a la empleada y a Manuel que se abriera la
puerta o se atendiera a nadie y ella se encerró en su
dormitorio bajo llave. ¿Había regresado Perón con más
microbios para atormentarnos? Papá, como de costumbre, no estaba, porque los periodistas nunca están en su
casa en horas normales. Entonces Manuel se asomó a
una ventana y en la calle le pareció ver a aquel hombre que nos había invitado en Montevideo. El hombre
que ayudaba a mamá.

Mi hermano no tuvo dudas, era aquel que un domingo nos recibió en su casa. Él permaneció un rato mirando hacia las ventanas del apartamento, paseándose con un periódico bajo el brazo. Después escuchamos el timbre otra vez. Manuel salió al balcón y lo vio ante la puerta del edificio. Estuvo unos minutos más y al final se fue caminando hacia la calle Rivadavia, la más larga del mundo.

25

Tengo sed, dijo Angélica, y un poco de frío, agregó mientras abría su bolso para buscar una campera. El vestíbulo y los pasillos seguían desiertos, aunque de vez en cuando se escuchaban risas o alguna tos ahogada. Era más de la una y media de la mañana y de pronto el barco adquirió una cualidad fantasmal, con el sordo rumor de las máquinas llegando como la respiración distante de una bestia submarina. ¿Hasta cuándo podríamos permanecer en ese remanso de Primera sin ser obligados a bajar?

Si te animás a quedarte sola, puedo intentar conseguir agua mineral, propuse y Angélica asintió.

Caminé de nuevo por el corredor procurando encontrar un camarero de servicio dispuesto a ganarse una buena propina. Cuando llegué al hall de ingreso a Primera, me cuidé de parecer un pasajero más de la clase.

Sabiendo que quizá no pudiera regresar, descendí por la escalera principal hacia uno de los halles de Segunda que estaba ubicado en popa. Solo se escuchaba los ronquidos de los pocos que habían podido ocupar los sillones y la conversación animada de dos brasileños excedidos de copas, que amenazaban caerse ante cada bandazo del barco. Felizmente Leonel no se divisaba en el horizonte. Tampoco Bisturíes, cosa que me inquietó.

Pregunté a un mozo de cuerda dónde podía conseguir agua mineral.

Tal vez en Tercera, hay un pequeño expendio que todavía puede estar abierto, explicó y me señaló un pasillo, indicándome que descendiera por la primera escalera a la derecha. Había llegado el momento de aventurarme por el mundo inferior del barco, las profundas catacumbas de la tercera clase.

La proximidad de ese nivel con la sala de máquinas se notó de inmediato en el ruido y el calor. También en un vago olor a encierro y a comida rancia. Allí los camarotes podían albergar hasta seis pasajeros, incómodamente ubicados en cuchetas. Podían ser todos desconocidos entre sí y en general se distribuían las cabinas por sexo.

Otra vez la estrechez del corredor y la monótona sucesión de puertas cerradas me agobió como en una pesadilla. En uno de los camarotes parecía estar desarrollándose una discusión. De pronto, y como si se hubiera materializado en ese mismo instante, la figura desgarbada de Miguel apareció en el extremo del pasillo. El encuentro era inevitable, por lo que me detuve y esperé. Con las manos en un impermeable oscuro y raído y la mirada firme y acerada, Miguel sonrió.

Flaco, dijo, el estuario es chico y este barco también.

Estaba pálido y llevaba un pequeño bolso colgado de un hombro, por lo que deduje que él también viajaba sin camarote. El pelo corto y oscuro le enmarcaba el rostro anguloso y sus cejas tupidas hacían más brillantes sus ojos grandes y azules.

Tantos meses, Miguel, ¿dónde estabas?, pregunté y quise ser afable y a la vez casual, como si no hiciera más de seis meses que no nos veíamos.

Buenos Aires, respondió, como si esas palabras pudieran resumirlo todo. Volvió a sonreír, igual que cuando hacíamos dedo en la ruta al este y ponía su mejor cara en cada intento para que alguien nos levantara.

26

Después de la catástrofe, me transformé en el centro de mi hogar. Era como un souvenir *viviente de los años en que la familia y el país habían estado divididos. Fui mimada, sobreprotegida, considerada, cuidada y señalada siempre como la "víctima" de una época. Empecé a ir a la escuela dos años después que la mayoría de los niños de mi edad, pero ya sabía leer y escribir.*

No obstante, si bien las limitaciones físicas de alguna manera me hacían especial, mis padres nunca tuvieron en cuenta que, pese a ello, yo era capaz de pensar como una niña normal y manejar los mismos sentimientos e intuiciones que una que puede correr y saltar.

Por eso, un buen día supe que la historia del exilio y la fatalidad no era toda la verdad y que, debajo de esa tensa y extraña relación que mamá y papá mantenían, había como un tácito acuerdo para no remover el terreno del pasado.

Los indicios eran imperceptibles pero claros: el tono de ciertas conversaciones, la mirada de mamá, que desde que yo había enfermado no usaba una gota de maquillaje y dejaba aparecer una por una sus canas sin preocuparse por teñirlas. Por su parte, papá regresaba muchos días tarde y con un fuerte olor a alcohol y a tabaco, a intemperie y a humedad impregnándole el traje. Siempre fue húmedo el olor de papá, como si antes de volver a casa se sumergiera en las orillas del mundo. *Las explicaciones, que rara vez las había, remitían al trabajo de la redacción, a sus obligaciones de corresponsal en una agencia de noticias o a una nota de último momento para el cierre.*

Por su parte, mamá había adquirido costumbres extrañas. Por las noches, esperando a papá, se aficionaba a jugar con un cubilete y dos dados anotando en un cuaderno, prolija y claramente, los números que iban apareciendo. No había placer en ese ritual, era simplemente un tirar sin afán alguno de azar o beneficio, una rutina silenciosa y solitaria sobre la mesa del comedor, convocando los dados y sus cambiantes caras, una y otra vez, mientras bebía incontables tazas de té consignando la secuencia de cada tirada.

Una noche se quedó por fin dormida y con Manuel logramos mirar en el cuaderno: más de cien páginas a doble columna con las parejas de números de cada noche, prolijamente fechados. Ni un solo comentario, ni el más leve temblor en las anotaciones, solamente números del uno al seis escritos con la bella letra estirada de mamá aprendida con las monjas allá en Córdoba.

Creo que a partir de entonces yo empecé a dudar, a desconfiar de aquel cuento triste que siempre me había parecido, más que mi propia historia, una fábula inventada para que no indagase demasiado.

Una vez le pregunté a papá por qué mamá jugaba con los dados y él me miró extrañado, como si no lo supiese o la respuesta fuera algo obvio, elemental en su simpleza. Por supuesto que no respondió. Yo insistí y entonces no tuvo más remedio que intentar una explicación:

"La secuencia del doble seis la preocupa. Pero en realidad se refiere a otra cosa, que no se explica con

el cubilete y los huesos marcados. Está con eso desde que tu piernita se enfermó. Todos nos enfermamos un poco esa vez, ¿verdad?".

27

Estamos otra vez en el camino, flaco, dijo Miguel y me observó con avidez de arriba abajo. Su sonrisa se disolvió en una mueca levemente triste y despectiva.

Linda ropita, comentó. Parecés un aviso de Corderoy. Me imagino que, de acuerdo a tus gustos, traés mocasines de Guido y preciosas corbatas de Modart.

Lo aprendimos juntos, respondí y recordé nuestras tardes recorriendo las galerías comerciales del Centro, cortejando muchachas como jóvenes faunos. Él había leído un cuento, "El nadador", de John Cheever, cuyo protagonista se proponía cruzar el condado nadando las sucesivas piscinas de sus vecinos. Yo también lo había leído, porque él me lo había recomendado y ambos habíamos ideado una variante: la posibilidad de que un día hubiera suficientes galerías como para atravesar las manzanas de edificios y caminar desde la calle Ejido a la Plaza Independencia sin dejar de mirar las boutiques.

Gustos pequeñoburgueses, fantasías de la sociedad de consumo, el fetichismo de los objetos: no te culpo porque yo también lo conocí, pero sería bueno que dejaras de mirar sólo el envoltorio de la vida, de tocar siempre esos tres acordes fáciles, respondió con el tono de un pecador arrepentido transformado en predicador.

Venís deslumbrado por la luces del Centro: en fija abriste la boca como un bobo con la plancha gigante que echa humo sobre el edificio, agregó.

Y vos, ¿qué?, respondí, incómodo.

¿Yo? Estuve en Avellaneda, viviendo en casa de unos parientes y trabajando en un taller mecánico. Avellaneda queda en la reputísima madre y cuando gana Independiente no podés dormir hasta la madrugada.

¿Desde cuándo?

No importa, flaco, desde el año pasado.

Pero entonces..., dije y me oí confundido, torpe.

Ya sé lo que pensás, lo que se comentaba. En realidad me obligaron: el viejo se asustó después de los líos de agosto. Cuando mataron a Susana y a De los Santos yo me ligué algún palazo feo. Después en otra movilización me detuvieron y me ficharon. Estuve guardado y todo, pese a ser menor. Papá conocía al comisario y transaron en que me fuese, que me dejara de joder, aunque allá ser estudiante es tan peligroso como acá. ¡Acá! No sé ni lo que digo, estamos en realidad en el agua, en ninguna parte.

¿Saben que volvés?, pregunté azorado, imaginando cosas.

No, por supuesto. Ya no aguantaba más viendo las cosas desde afuera. ¿Te acordás de aquel político que llegaba en un auto de seis metros de largo al club del barrio? Al viejo lo despidieron, la fábrica cerró. Era una colateral de una financiera que a su vez dio quiebra, fraudulenta, claro. Congelan los precios y los salarios, pero la guita de ellos se sigue escapando lo más campante y calentita. Maruja quiere irse a Australia y llevárselo al viejo. Dicen que hay laburo, pero mi hermana es un apéndice de mi cuñado, el cara de loco, que no sirve para nada. Te queda bien esa campera, flaco.

Sonreí por compromiso y de golpe me vi con Miguel, un atardecer en Playa Grande, destapando una botella de cerveza en el verano de 1967. Habíamos hecho dedo todo el día para llegar desde Montevideo a Piriápolis y estábamos cansados, sedientos, dispuestos a todo. No teníamos dónde dormir y en realidad no nos importaba.

Me estaba acordando de aquel verano, evoqué y me arrepentí. No estaba seguro de que aquel Miguel y este coincidieran.

Nos engañaron, afirmó con gesto pesimista, desencantado, y miró hacia arriba, al cercano y sucio techo del corredor.

La luna no es más de los poetas, va a ser de los malditos yanquis. *Peace on earth, brother.* ¿Escuchaste *Glass onion*? Cantan que la morsa era Paul. Yo hubiera jurado que era John, dijo Miguel y esbozó un gesto como de saludo definitivo, enigmático y breve.

Vos no me viste y el armenio tampoco, agregó con un hilo de voz y me apretó el brazo con sus dedos largos, capacitados para pulsar un acorde difícil, como de novena disminuida o fumar con solvencia los Winston que nos vendía el contrabandista de El lance. Lo vi desenfundar el larga duración con la música de *Un hombre y una mujer* y tararear *Plus fort que nous.* Vi su gesto inconfundible al ingresar a un baile cualquiera, ajustándose el nudo de la corbata y subiéndose las medias, como si en esos mínimos detalles se jugaran las futuras conquistas. Lo recordé impertérrito y devastado, delante de la madre muerta, mirando para siempre un lugar muy lejano o la cercana frente que no habría de besar. Todo eso pude ver en esa fugaz última mirada de Miguel, antes de que se alejara por el corredor.

28

Había una tierra maldita, la tuya.

Había un año nefasto, aquel de la fiebre.

Había un culpable histórico: Perón, el jefe de los descamisados, el peronismo.

Había una señal del martirio, mi pierna.

Esa fue la historia hasta que, junto con el desarrollo, la primera hemorragia, me llegó la lucidez, la inquietante certeza de que los dados de mamá no eran una simple manía de mujer insomne.

Yo había aprendido a caminar por segunda vez, cuando la operación quedó descartada y la fisioterapia recuperó lo que pudo. Los médicos siempre apelaban a mi voluntad y a los estímulos que mi propia familia debía darme. Un día, uno cualquiera, extraño y decisivo, supe que la mejor razón para desplazarme por mí misma era poder salir a buscar los hechos verdaderos donde estuviesen. A los trece años yo no aguantaba más el clima de mi casa, el odio silencioso de mis viejos. Tenía que saber quién era aquel hombre de Montevideo porque intuía que en él podía estar la clave de toda nuestra desgracia.

Al final le pregunté. Estábamos solas en una mañana de invierno. Me acuerdo que en pocos días habría elecciones y las paredes del barrio estaban tapizadas de fotos de Illia y Aramburu. Papá estaba en el diario, como siempre, y Manuel en el colegio. Yo para variar tenía un gran resfrío y había faltado.

Recuerdo su cara y el gesto al retener la bandeja con el caldo, quedar inmóvil sin atreverse a mirarme y luego sonreír como si nada, forzando sus labios en una expresión olvidada, vacía. Dejó la bandeja a un costado y comentó que la abuela había llamado para saber cómo iba mi gripe.

Contestame, mamá, le rogué, ¿quién era aquel señor que te ayudaba? Por un momento creí que iba a llorar otra vez, pero se contuvo y, lejos de humedecerse, sus ojos se opacaron, perdieron brillo y quedaron fijos en los vidrios empañados de la ventana.

Tal vez fue mi bastón canadiense, respondió en un susurro, como si hablara para sí misma y yo ahí no estuviese. Después, sin mirarme una sola vez, con un tono tranquilo y profundo, me contó de un tirón su romance con aquel hombre que era pintor y que al final la había abandonado. No había una sola nota de amargura en sus palabras. Había sí un calculado rencor, un elaborado despecho.

En los días finales del exilio, hubo una cita no cumplida, un permanecer más de lo debido en la otra orilla, aguardando un barco o que él apareciese. Los días en el hotel insalubre, expuestos al contagio y la llegada de la fiebre, fueron, ella lo dijo ya casi sin énfasis, el castigo para su debilidad.

Ya no se trataba de Perón. Era Dios y su instrumento, el hombre que lo ayudaba.

¿Y si él hubiera concurrido a la cita, qué?, pregunté, asombrada de que todo lo que había oído me pareciera tan solo un folletín, una telenovela que tangencialmente me involucraba.

Por fin me miró, ya sin expresión alguna, extrañamente lejana, indiferente.

Tal vez no habríamos regresado. Probablemente nos hubiéramos quedado en lo de Rosas. Fue en ese maldito hotel previo a la partida donde te contagiaste, no tengo dudas. Me empujó él a que me fuera cuanto antes, nos reclamó tu padre desde el otro lado. Nos arrojaron los dos, a su manera, a la infecta suciedad de aquella pieza. Pero él fue el instrumento principal, el cobarde irresponsable, el perjuro. Dios lo maldiga eternamente, como lo ha hecho con nosotros, dijo mi madre .

29

Cuando regresé con el agua y los vasos de plástico, Angélica estaba dormida. Había desandado el dédalo de corredores y escaleras sin que nadie me impidiese los sucesivos pasajes a la zona superior del barco. Me senté, procurando no despertarla, pero ella abrió los ojos y sonrió. Le serví un vaso y se lo ofrecí:

Tomá, me costó un triunfo conseguirla. ¿Te desperté?

No te preocupes, en realidad no dormía, simple estrategia para que nadie me moleste. El sueño del otro siempre es como una barrera. Aunque por acá no pasó nadie desde que te fuiste.

Me encontré con un amigo, le expliqué y la cara de Miguel aún me miraba, inmóvil en mi mente, desdibujándose en otras anteriores.

¿El de los bisturíes?, dijo Angélica y me tendió el vaso para que le sirviera más.

No, por suerte no, respondí. "Vos no me viste": pensé en las últimas palabras de Miguel, dichas con un tono inexorable, disimulando el ruego en la orden.

¿Tenía camarote?

Viaja en tercera y no tiene camarote. Hace tiempo que no nos veíamos, pobre Miguel. Estaba viviendo en Avellaneda y no le va muy bien.

¿Vas a seguir hablando vos?, ese no era el trato, protestó Angélica, reclamando su derecho al

relato, a contar para que el barco siguiese atravesando la noche y todos en él durmieran en calma.

30

De alguna manera este viaje empezó luego del relato de mamá. *Nunca más hablaremos de esto*, me dijo luego de maldecir al hombre de Montevideo. Creyó que su relato y la invocación a un Dios en el que ya no creía iban a saciar de una vez mi curiosidad. Claro que no fue así.

Yo me guardé la historia y recordé cada uno de sus capítulos. Era una historia de amor con un final trunco, triste. Un mediodía todo se había terminado, extraviado en la confusión, aniquilado para siempre. ¿Por qué?

La explicación absurda, injusta, nacía en la fiebre, en mis músculos y tendones ganados por la peste. La cita fallida y el contagio parecían las caras de una misma moneda. Yo entonces tenía cuatro años, ¿cuál era mi culpa?

Tenía que averiguar, tenía que saber, hablar con ese Hombre Misterioso, de quien no conocía siquiera el nombre, para desandar el tiempo hasta aquel día de setiembre. Él tenía que guiarme hasta las razones, las piezas faltantes del rompecabezas. Pero tenía que esperar, todavía no tenía edad para viajar sola a Montevideo.

Mientras tanto, en mi propia casa podía encontrar otras claves. ¿Sabía papá la historia de mamá y el pintor? ¿No conocía los hechos y por tanto no tenía idea de la culpa que agobiaba a mamá? ¿Los conocía y *los había aceptado? ¿Había perdonado a mamá porque mi pierna ya era castigo suficiente?*

Lo que no te mata, te fortifica, había leído una vez. Sin saberlo esa iba a ser mi fórmula secreta para avanzar en la vida pese a mi pierna. Me empezaron a fastidiar los cuidados, los miramientos, la lástima. En mis padres descubrí lo inútil de todo lamento. Era evidente que ellos estaban, están, peor que yo. ¿Qué les había pasado para tener que verlos así? De mamá ya algo sabía, pero me faltaba la versión de papá.

¿Por qué nos había dejado ir? ¿Qué había hecho para que lo metieran preso? ¿Por qué antes, en aquel verano en Solís, había ido a buscarnos y mamá se había negado a volver?

Por mucho tiempo pensé que Manuel, por ser mayor, sabría detalles que yo no conocía. Sin embargo, él había quedado como bloqueado y recordaba muy poco de aquellos años. Sentía miedo aún de quedar paralítico y cualquier fiebre alta era capaz de hundirlo en el pánico.

Pese a mi determinación, sabía que era muy difícil que papá aceptase hablar de los sucesos de aquel año y quizá de los anteriores. Siempre había sido un padre bueno pero distante, envuelto en una lejanía disfrazada de severidad. Al ser mucho mayor que mamá, nunca se había ocupado de las cuestiones prácticas de nuestra crianza, como cambiarnos los pañales o darnos de comer.

La que podía ayudarme era la tía Hortensia.

31

El hombre de uniforme apareció de golpe, silencioso y calmo. Parecía un alférez o un mayordomo con galones. Nos miró con una autoridad fría y arrogante y preguntó:

¿Ustedes viajan en Primera?

En este momento sí, respondí e inconscientemente tomé la mano de Angélica. El uniformado sonrió y cruzó sus manos por detrás, balanceando imperceptiblemente sus piernas.

¿Tienen camarote?, agregó sin dejar de sonreír y balancearse. Miró los bolsos y el bastón de Angélica y reparó en la botella de agua mineral y los vasos.

En este momento no, admitió Angélica y apoyó su cabeza en mi hombro, sonriendo al oficial.

Ya veo, dijo el que ahora me parecía un Almirante, ¿están de picnic?, agregó con una cierta premura o tensión en el tono. Era un hombre joven y por sus aires era probable que fuera el dueño del barco.

¿Saben que los espacios comunes de Primera son exclusivos de los pasajeros de Primera?, enunció con un engole imperativo, veladamente autoritario.

Nadie nos ha advertido sobre semejante cosa, explicó Angélica, cruzando su bastón por sobre sus piernas y las mías. El Almirante bajó por primera vez la vista y detuvo su balanceo, que ya había empezado a inquietarme porque parecía un resorte a punto de soltarse.

Señores —concluyó—, me temo que tendrán que irse a la zona del barco que les corresponde. La Compañía sobrevende y después que los oficiales se arreglen —masculló por lo bajo—. Lo siento mucho, pero deben retirarse.

¿Podríamos arreglar esto de otra forma?, dije e inmediatamente sentí una tonelada de desprecio resbalando sobre mi cara. El de los galones había captado mis intenciones.

Claro, pagando el complemento de Primera si las oficinas todavía estuvieran abiertas. Aun así eso no les asegura un camarote pero sí derecho a un sofá de cuero en un lugar como este. Pero ustedes no pagaron, así que circulen, insistió el celoso funcionario.

Con agilidad impensada, Angélica soltó mi mano, tomó el bastón y se puso de pie. Había un furor contenido en su expresión y su cuerpo estaba tenso:

Ustedes son iguales en todos lados, dijo mirando con desafío al marino. Este apartó algo su cuerpo también envarado para dejarnos pasar. Yo tomé los bolsos y me incorporé. Todos nos miramos con incomodidad y nadie parecía querer agregar más nada. No obstante, el oficial lo hizo:

Ustedes también son todos iguales: desordenados, irresponsables, abusadores. Necesitan siempre de vigilancia, correctivos, un poco de orden y el peso de una autoridad firme y atenta que los encause.

Miralo al pequeño Rojas, ya estaba extrañando ese lenguaje, esas recomendaciones, comentó Angélica y levantó su bastón moviéndolo en sentido vertical y ascendente un par de veces. Después regresamos a las escalinatas y a los corredores, al vagabundeo y la incomodidad.

32

La tía Hortensia al final había echado buenas: tarde pero feliz se había casado con el dueño de una cadena de zapaterías y vivían en un remozado palacete de la Avenida Alvear, cerca de la Plaza Francia. No tenía hijos, pero le gustaba mimar a los sobrinos. Cuando íbamos a verla siempre nos maravillaba con su colección de estatuillas chinas y japonesas y los grabados sobre papel de arroz que reproducían paisajes exóticos donde todo parecía flotar.

La casa era enorme, sombría y revestida de maderas aromáticas que recubrían columnas y paredes y se remontaban hacia las alturas por escaleras espiraladas. Las molduras de los lambrises y balaustradas, las arcadas de medio punto de los altos ventanales y las tallas que coronaban los descansos de los pasamanos siempre me dieron una sensación de lugar religioso, de convento. Allí siempre había un silencio invencible que flotaba bajo la luz amarillenta de unos vitrales que según Hortensia eran réplicas de los de la Villa Falconieri, en Roma. Sobre el piso ajedrezado, me recuerdo jugando con muñecas de porcelana, auténticamente antiguas, por lo que debía cuidarlas en grado extremo. Era como jugar en un museo.

Una tarde tibia de primavera, me hice la rata en el colegio y me fui hasta la Recoleta a visitar a la tía. Por supuesto, no para jugar con sus muñecas, porque ya no estaba en edad. El tío Ernesto estaba en Italia, eligiendo modelos para sus colecciones y Hortensia repasaba el brillo de la plata del juego de té, a esa hora en que llegué a palacio dispuesta a hacer preguntas.

La primera, luego de los saludos de rigor, los cumplidos inevitables y la obligatoria taza de té en vajilla Willow, fue directa y sin preámbulos:

Contame las verdaderas razones por las que nos fuimos a Montevideo sin papá.

Hortensia dejó en suspenso la preparación de una tostada y me miró como si yo desvariase. Ese tipo de preguntas no solían hacerse en mi familia. En general no se hacían preguntas que pudieran interrumpir el decurso sereno de cualquier ritual social, no se indagaba nada que alterase la compostura ni el decoro, no se averiguaba, ese es el verbo, policial y de crónica roja, que definía lo que yo estaba haciendo en ese momento en que la mermelada amenazaba caer desde el cuchillo al mantel de lino de la tía Hortensia.

Cuando pensé que ella iba a proseguir untando como si nada, porque esas preguntas, cuando llegan de forma majadera, no se responden, se ignoran, la escuché decir:

¿Y por qué piensas que hay motivos que no son los que ya todos sabemos?

No podía darle una sola razón que justificase esa idea y a la vez tenía mil intuiciones que sí la explicaban. Por empezar, el despecho y la amargura de mamá se entendían con relación al pintor, pero no hacia papá. Sin embargo, entre ellos había un vínculo de recelo mutuo que no dejaba espacio al perdón, a convivir sin la inminencia de una acusación o de una blasfemia. Nada de lo que se sabía podía explicar el torvo e invariable silencio de mi madre en la mesa, sirviéndole el desayuno a mi padre con un imperceptible gesto de desprecio, un temblor en la mano que sostenía la cafetera como si su contenido fuese una especie de veneno sólo para él destilado. Enfrente, indiferente y lejano, tomando su jugo de tomate como todo alcohólico por la mañana, con un sosegado aire de respeto, papá aprobaba el servicio y se aprestaba a beber la primera taza, asumiendo que el café no estaría tan fuerte y amargo como a él le gustaba y como mamá nunca acertaba a preparárselo.

Después venían los comentarios obvios y las preguntas indispensables, las referencias a la realidad política o al clima, a la desaforada inflación o a los últimos metros de una carrera de San Isidro. Eso, siempre y cuando papá no estuviera con excesiva resaca.

No pienso nada, le dije a la tía, vengo a que vos me lo cuentes.

33

Las luces de los corredores habían bajado de intensidad y el barco todo parecía dormir. Ya no se escuchaba conversaciones en los camarotes y nadie, salvo nosotros, deambulaba hacia ninguna parte. Ahora quedaban las peores horas antes del alba, cuando el cansancio y la necesidad de sueño añoran una simple cama y un poco de oscuridad. Yo había visto que el pasillo central tenía unos pequeños descansos con asiento, simples y sin respaldo, tapizados en pantasote y adosados a la pared de metal en uno de los lados del cubículo.

Mi reino por una cama, exigí y resoplé, cargando los bolsos y fastidiado todavía con el hijo de puta que nos había expulsado del paraíso.

Tu amigo está peor, dijo Angélica quien, lejos de estar abatida, parecía haber renovado sus energías tras el incidente.

¿Qué amigo?

El de los filos, no puede acomodarse bien en ninguna parte, ni recostarse a nada, salvo que se quite ese saco absurdo que lleva puesto.

Tenés razón, pobre armenio, ¿dónde se habrá metido? Me preocupa que haya seguido tomando, esto se mueve demasiado.

En ese momento el piso pareció hundirse y luego emerger y tuve que ayudar a Angélica porque el bandazo le había hecho perder su bastón. Un nuevo balanceo nos hizo quedar casi abrazados.

Cercanos y muy abiertos, sus ojos me ofrecían un destello de miedo, una lejana angustia. Acerqué mi rostro para besarla y ella lo apartó, bajó la mirada, deshizo el abrazo. Había sido un instante fugaz de cercanía y la mía una actitud espontánea y no desprovista de piedad, de inevitable lástima. También podía ser un desangelado brote de deseo, de indagar en su cuerpo con los torpes balbuceos de mi inexperiencia. Sentía, de manera confusa y atropellada, que ella me atraía pese a que su pierna era un misterio a develar, pero que todo habría de resolverse en esa única noche, en ese breve territorio del tiempo que precedía al amanecer.

No juegues, me advirtió. No había un auténtico reproche en sus palabras, más bien una advertencia: no lo hagas porque sí.

¿Sos virgen?, le pregunté, incapaz de medir el obvio exabrupto. Inmediatamente me arrepentí, balbuceé una disculpa, tosí.

Claro que soy, ¿por qué lo preguntás?

No supe qué responder, la respuesta sincera hubiera sido una especie de bajeza.

Incómodos, el silencio nos ganó y seguimos caminando.

34

Hortensia hubiera sido incapaz de alterar la ceremonia del té, con un relato como el que le pedía. Prefirió callar y cumplir con el protocolo de las dos tazas bien servidas, las tibias tostadas, la mermelada de naranjas, la jalea de melocotones, la bandeja con masas y el exquisito estrúdel de manzanas, un toque alemán entre tanto homenaje a lo británico. Después llamó para que la empleada retirara el servicio y encendió un cigarrillo. Con un gesto me invitó a pasar al jardín de invierno, que era una galería vidriada ubicada al fondo de la mansión y contigua al comedor en donde estábamos.

Allí, entre plantas, macetones y maravillosos logros del bonsai, sentadas en poltronas de bambú con almohadones de chint *color dorado, mirando el atardecer que resbalaba sobre la enredadera que cubría el muro medianero del jardín, Hortensia me contó la historia de papá y de la que en la familia había sido conocida como "la cabaretera".*

De alguna manera yo esperaba oír algo por el estilo. Necesitaba confirmar esa impresión de que mamá tenía un motivo mucho más profundo que el de la política para reprocharle a papá el haberse quedado.

No había sido solo Perón, ni los peronistas, ni la revuelta para derrocarlos ni la libertad de expresión ni la obligación ante la máquina de escribir. Ahora, a todo eso se sumaba una mundana debilidad llamada Thelma, nom de guerre *quizá.*

Con sus naturales modales conciliatorios, Hortensia lo describió todo como un simple affaire de hombre casado, una costumbre habitual en cierto tipo de educaciones, una travesura producto de sus andanzas nocturnas, propias del oficio de periodista. Según ella, la juventud de mamá le impidió entender las debilidades de un hombre mayor por alguien inferior que nunca se propuso arruinar su matrimonio.

Yo escuché las reflexiones de Hortensia impávida, sofocándome en el calor húmedo del invernadero y aprendiendo los riesgos de averiguar. Sabía que poco más podría surgir de la versión de mi tía, porque ella ya había simplificado la historia y había reducido su posible escabrosidad al tono mundano y amable de una crónica del *Para ti*. Tenía, no obstante, un nombre. Necesitaba una fecha.

Tú sabes cómo son esas cosas, un día se descubren, trascienden, dijo Hortensia, con ese tono casual y almohadillado que empleaba para dar las malas noticias. Los mismos crápulas que lo seguían a tu padre y que un buen día le quemaron el auto, los mismos que lo amenazaban por teléfono o le cortaban la luz eléctrica dos por tres, esos, ya derrotados y en fuga se tomaron venganza.

A los pocos días que ustedes habían regresado llamaron a tu madre y le contaron todo y no precisamente de la manera que yo lo hice ahora. Una voz anónima, burlona y desagradable que refería detalles de mal gusto y más amenazas.

Años atrás, sabes que tu padre se había pasado de la raya la noche que murió esa mujer, la rubia teñida de Junín, poniendo un tango a todo lo que da sin respetar el luto, cosa que desde el punto de vista cristiano, admitámoslo, fue algo desagradable, por decirlo en forma suave. Eso también trascendió, claro, alguien lo denunció y la ofensa quedó pesando sobre la familia.

Él podía haber argumentado que todo era una mentira de sus enemigos políticos, una infamia más de ese régimen de tormento. Pero no pudo desmentir nada, porque junto con la llamada llegó un sobre que alguien deslizó por debajo de la puerta, dirigido a tu madre con una esquela: "Para que mires mientras escuchás Yira, Yira..", fíjate qué descaro, qué maneras. Junto con el mensaje había fotos y en todas estaba tu padre en compañía de esa infeliz, tomando copas, bailando. Era, de manera evidente, él, y tu madre no lo toleró, pese a que aquella era una historia terminada que quizá ella siempre había sospechado.

Aquellos años habían sido duros. Piensa que el diario en el que trabajaba tu padre había sido expropiado por el gobierno. Después de una huelga y de ataques permanentes para silenciarlo lo transformaron en un pasquín de los gremios de trabajadores. Como forma de humillarlo, a él, que cuando escribía siempre les pegaba donde les dolía, no lo echaron, sino que le dieron un puesto de corrector: tenía que expurgar de faltas de ortografía y sintaxis las tiradas de linotipo de sus enemigos. Él igual seguía mandando sus crónicas para afuera y eso ellos lo sabían. Al final lo despidieron y después de unos meses entró en el diario de los Mitre, que todavía mantenía una independencia y era el único que no respondía al régimen. Pero se curaban en salud: lo pusieron a redactar palabras cruzadas y a cubrir la información de box. A través del boxeo podía expresar sus opiniones, en especial siguiendo la decadente trayectoria de aquel hombre, Gatica, amado y odiado en idénticas proporciones por la gente. Con todo, el lío grande lo tuvo cuando en un crucigrama puso: "33, horizontal: primera prostituta de la historia", en una celda con tres letras que empezaba con E.

Creo que entonces tu padre conoció a esa mujer, una noche en el Luna Park, tal cual le había sucedido a la pareja más famosa de la Argentina.

Ya ves, sobrina, cómo son las coincidencias: él, que tanto había criticado esa escandalosa ostentación del Coronel y la arribista, iba a entreverarse con una artista del variété prostibulario, una copera de busto panorámico y cerebro contraído que lo llevaría por un buen tiempo de las narices.

35

Finalmente encontramos un cubículo vacío, en Segunda Clase y cercano a un baño. Acomodamos los bolsos debajo del asiento y nos instalamos en su incómoda estrechez. Ofendida, Angélica no me miraba.

Disculpame, no sé por qué te pregunté eso, dije, sinceramente arrepentido.

Yo sí lo sé: por machista, para prejuzgar, para medir mi defecto. Si alguien le hizo el amor, tan desagradable no será. No descarto alguna fantasía enfermiza que vos mismo ignorás. Y vos, ¿sos virgen?

No lo era, pero no había demasiado mérito en ello: los siempre apresurados tránsitos por el prostíbulo, alentados por ese rito barrial y pagano llamado "debut" o las torpes primeras experiencias con chicas para nada expertas, alentadas menos por el deseo que por la curiosidad, no significaban lo esencial. En cuanto al noviazgo, todo era muy reciente y acotado por vigilancias y formalidades. De acuerdo a mis reales expectativas sobre el tema, sin duda, era virgen.

De alguna manera, lo soy.

¿Cómo de alguna manera? No se es parcialmente virgen, dijo con toda lógica Angélica.

Me refiero a que hay una parte, que se podría llamar mecánica, y otra más profunda. A esa todavía no llegué.

Angélica rió con ganas y se llevó un índice a la sien, haciéndolo girar.

Estás loco, ¿de dónde sacaste eso? Es todo lo mismo, inseparable. Yo espero sentir lo "mecánico" y lo "profundo" en el mismo momento, si no qué gracia tiene.

¿Tenés novio?, pregunté, horas después de lo debido.

No, dijo Angélica, sin ningún énfasis especial pero con un dejo resignado que me recordó el de Esther de Burzaco. Con crueldad imaginé otro bastón que se correspondiera con el de ella: otra vez el señalamiento y el prejuicio, la incapacidad para verla como una igual, el miedo al otro que es diferente, al que nos muestra permanentemente sus incómodas llagas.

36

Los motivos del viaje a Uruguay, las reales circunstancias del alejamiento de mis padres, a partir de lo que mi tía me había contado, se me aparecían bajo otra luz. Según Hortensia, en un país en que el gobierno había impulsado y promulgado la Ley de Divorcio, porque era otra de las maneras de atacar a los católicos, no era posible que papá y mamá asumieran públicamente el escándalo de vivir separados. Pero eso no dejaba de ser una suposición de la tía.

Si mamá no había querido enfrentarse a la posibilidad de una ruptura, la historia de la persecución, del exilio, de la necesidad de que nosotros estuviéramos a salvo en Montevideo mientras papá escribía palabras cruzadas y comentaba los sucesos del ring, tapaba a la otra. Eso producía el milagro de que la cabaretera fuera tragada por la inmensa luz que mana de los héroes y las heroínas. Mientras tanto, la distancia habría de tender los puentes del perdón y del dulce reencuentro. Hortensia no me contó nada de esto, pero yo pude imaginarlo.

El pintor, el hombre de Montevideo, el señor que ayudaba a mamá, su amante, había sido, sin saberlo quizá, el factor desencadenante de la ruptura. Cuando papá viaja en el verano a Solís ya es tarde: mi madre está viviendo su propia historia. No la culpo. Como tampoco puedo culparlo a papá. No hay culpa, ¿sabés?, no hay responsables. Solo hay coincidencias, correspondencias, casualidades. Es como un reloj armándose a sí mismo, creando sus propias piezas y ensamblándolas a medida que su mecanismo gira: los engranajes van apareciendo y nunca podés saber cuál fue el primero.

Años después de las revelaciones de Hortensia, papá habló conmigo. En realidad, fue un monólogo extraño que no sé todavía a quién iba dirigido. Ese día habíamos ido a una quinta de unos amigos en Vicente López. Tomamos sol y nos divertimos mucho nadando en una pileta. Los terapeutas siempre me recomendaban la natación. Yo en el agua me sentía entera y papá me llamaba Esther Williams.

Volvimos tarde y con la piel encendida. Puede decirse que vivimos todos un día perfecto, como si de pronto, una especie de amnesia general nos hubiera ayudado a olvidar quiénes éramos. Hasta mamá se había reído y jugado conmigo y con Manuel en el agua y papá no había tomado una sola gota de nada que no fuera agua mineral.

Ya en casa, luego de la cena, mamá y Manuel se fueron a acostar y yo me quedé en el living escuchando discos con la luz apagada. Papá estaba en su escritorio, preparando su trabajo del día siguiente y tratando de cambiar la cinta de una de las máquinas de escribir. Como un anuncio de que el día perfecto se había terminado, sentí el sonido del vaso entrechocando con el pico de la botella y el líquido vertiéndose. Después papá tosió y creo que se bebió el primer trago de un envión. Siempre empezaba así, sobre todo el domingo de noche, era infalible.

Se sirvió más y lanzó inaudibles insultos contra la cinta y cerró y abrió cajones con violencia. Yo le pregunté si quería que lo ayudase y no me respondió. Después apagó la luz del escritorio y se desplomó en la bergère *de cuero junto a la pequeña biblioteca de obras famosas, un regalo de su niñez y su rincón predilecto de la casa. Por la ventana podía verse la luna, grande y apareciendo entre las nubes. La botella y el vaso se rozaron de nuevo. Yo estaba tensa, asustada. Pensé en irme a dormir, pero no me animé a dejarlo solo bebiendo.*

Todavía sigue amándolo, murmuró, como si ignorase que yo estaba allí. A veces habla en sueños y lo nombra, dijo mi padre y llenó de nuevo su vaso. Así inició su desahogo de esa noche.

Terca, susurró, con una voz desagradable y quebrada, te pedí que regresaras. Hubieras vuelto con los niños, te hubieras ido a vivir con tus padres. Ellos no podían entender tu orgullo, tu recelo. Sin darte cuenta fuiste cómplice de mis enemigos haciéndoles el juego, complaciendo a la chusma con tu calentura, ayudándoles a preparar la trampa. Los inútiles rezos, la devoción, tu adorado crucifijo, en dónde estaban entonces. Te lo pedí, te rogué y besé las suelas de tus zapatos, me arrastré como un gusano, estúpida orgullosa, tragándome por anticipado uno por uno los trozos de aquellas fotos infames que un día iban a mandarte. Esa noche te aliaste con el infortunio, te conjuraste con él, te abrazaste a la desgracia como una ciega.

Se incorporó y tanteó sobre el escritorio en busca de la botella. Yo había quitado el disco y estaba acurrucada en la butaca, aferrada a mi bastón, creo que temblando. Desde los dormitorios la escuché venir a mamá.

Lo nombra en sueños, hoy todavía, dijo papá casi en un sollozo, al instrumento, como ella lo llama, nombra al maldito ejecutor de la desgracia. Dice que nos desprecia a los dos, pero sueña con él todavía, tal vez siguen estando allá, en esa engañosa ciudad de la arena. Lo nombra y gime, la he oído tantas noches a la pobre ilusa. Evoca al cobarde que no se presentó, al artífice del miedo que todavía la habita, pronuncia su nombre, una, dos, diez veces seguidas, invoca el pasado, se abraza con un fantasma, con un miserable que posiblemente ya no la recuerde y no sepa el resultado de la aventura. Esa es nuestra miseria, nuestra culpa y nuestra condena .

De pie ante él, vestida de camisón y descalza, cubierta de una luz gris y espectral, mamá dijo simplemente: "Es tarde" y le quitó la botella y el vaso. Papá balbuceó una inaudible protesta y luego la abrazó con miedo, con torpe ternura, y ella lo aceptó. Se abrazaron, ¿sabés?, algo que nunca más yo había visto. Estuvieron un rato quietos y unidos, aceptándose como eran.

"Es tarde", repitió mamá y lo tomó de la mano. Papá habló sobre algo referido a la cinta de la máquina y mamá le respondió que no se preocupara, que por la mañana las cosas se hacen mejor. Después se fueron los dos caminando con lentitud hacia los dormitorios, moviéndose como dentro de un sueño, el de mamá u otro, ignorando que yo había estado allí.

Fue esa noche cuando decidí venir a conocer al pintor.

37

Poco a poco el barco empezó a cobrar animación y los corredores se poblaron de pasajeros somnolientos que abandonaban sus cabinas para ver el amanecer. El viento había ido amainando y ya los bandazos eran más suaves.

Angélica había cumplido con su parte del trato y esa mitad suya había bastado, dentro del juego propuesto, para mantenernos navegando y a flote. El penique falso seguía en mi bolsillo, con la efigie del rey Jorge VI repetida en las dos caras.

¿A qué hora abrirá la cafetería? —dijo Angélica, bostezando.

Abandonamos nuestro cubículo y nos encaminamos hacia el vestíbulo principal. Necesitábamos el aire puro de cubierta, divisar la costa ya cercana, despejarnos de una noche larga y extraña.

Cargando otra vez los bolsos y dominado por las resonancias del relato de Angélica, supe que en ese momento iba a empezar el olvido. Nos íbamos a perder para siempre, como antes con Esther de Burzaco. La travesía del estuario estaba terminando y sus leyes se disolvían en la luz rosada del amanecer entre nubes que estaba empezando.

Salimos a cubierta y el aire todavía frío nos envolvió como una bandera invisible. Ya había muchos pasajeros acodados en las barandas, contemplando la franja de tierra que se perfilaba bajo la incipiente claridad. Algunas luces anémicas vibraban trémulas desde anónimas viviendas costeras cuando el primer rayo asomó por el este.

Las aguas, de un gris amarronado, se rizaban en pequeñas olas y el viento elevaba y arrastraba cúmulos de espuma y gotones fríos que humedecían las barandas y el piso de la cubierta. Caminando con su aire tranquilo y dominador, lo vi venir al negro, a Leonel, enfundado en su sacón azul. Al pasar junto a nosotros arqueó una ceja y desplegó sus dientes blancos en una sonrisa.

¿Durmió bien, mi amigo?, preguntó con la voz cavernosa del recién levantado.

Negué con la cabeza y también le sonreí.

Vengan, conozco un lugar donde ya dan café. Todavía faltan como dos horas para que bajen. Vamos, señorita, es peligroso estar así en la baranda.

Lo seguimos: necesitábamos ese café y sentarnos en algo cómodo.

Cuando anuncié que iba a viajar a Montevideo, tuve que inventarme una coartada y la involucré a una amiga, Clarita, con la que se supone voy a encontrarme. No me hubieran dejado venir sola. Es extraño, pero hace dos años que pienso en esta travesía. No me preguntes cómo al final demoré en sacar el pasaje. Tal vez en el fondo no estaba demasiado convencida de lo que iba a hacer.

En todo este tiempo seguí averiguando: una posible dirección para ubicar al pintor y también su nombre, que mamá siempre evitó mencionar. Como ya te dije, dejamos el viejo apartamento de Talcahuano y nos mudamos a una casa en Flores. Eso también me ayudó a decidirme, es como si al irnos de allí, muchas cosas pudieran quedar atrás, perdidas en la mudanza.

No sé qué voy a encontrar allá, si es que todavía hay algo, una huella de aquellos días del cincuenta y cinco. Por lo que he podido leer, tu país ha cambiado mucho y aquella época luminosa de cuando nosotros estuvimos ya no existe. Pero no tengo miedo. Nunca lo tuve: ¿qué más habría de pasarme?

El miedo es la peor de las parálisis.

Estoy volviendo al origen, intentando regresar hasta aquel mediodía cuando mamá dio vueltas y vueltas en la camioneta de Rosas, buscando en aquel pueblo perdido al hombre que iba a encontrarse con ella. ¿Qué pudo suceder para que él no llegase, no cumpliera con esa cita? Por alguna razón que se mezcla con otras, incluida mi fiebre, mamá nunca supo el verdadero final.

Estoy desandando las aguas del río para llegar hasta ese hombre misterioso, cuya imagen fugaz forma parte de mis recuerdos más tempranos. Lo veo en un mediodía de sol, abriendo la puerta de una casa en una calle arbolada y con olor a jazmines. Es imposible que recuerde su cara, pero mi memoria le ha dado una, ha construido un rostro sereno, sonriente y joven que posiblemente no se parezca al verdadero. No importa, no le temo al encuentro con el real, aunque haya envejecido y ya no queden en él rastros del otro.

Estoy regresando a la ciudad en la arena y me siento liviana y ágil como cuando nado en una piscina. Por primera vez voy a encontrarme con la otra orilla de la historia. Hay una calle: 19 de Abril. Una vieja casona, árboles añosos, un jardín. Poco más puedo aspirar a reconocer, salvo el remoto eco de una voz o el nombre que mamá repite en sueños. Le traigo el cua-

derno, las cifras anotadas de las tiradas de dados, para que me aclare el enigma. Voy a mostrarle la obra de la fiebre y con dulzura le pediré que la toque y no tema. Yo no le temo ni le odio y necesito que sus dedos me acepten, para que deje de ser el instrumento, el azote del castigo, el artífice del miedo.

38

En la zona de desembarque los pasajeros han ido llegando y muchos no disimulan su ansiedad ante el inminente arribo a puerto. Algunos grupos entonan cánticos y promueven bromas; otros denotan cansancio y abundan en bostezos, en gestos de fastidio.

Angélica ha ido hasta la pequeña boutique del vestíbulo porque quiere comprarle una corbata al pintor. Yo miro la ciudad desde cubierta, la silueta familiar que desde hace algunos minutos ha comenzado a asomar por detrás del Cerro. Nunca la vi así, desde el mar, llegando, creciendo en detalles milla a milla. Los edificios familiares y emblemáticos empiezan a definirse entre una bruma que poco a poco se deshilacha en destellos, en perfiles iluminados por el sol todavía bajo.

Escucho a mis espaldas un sonido metálico, cantarín: es Bisturíes. Me palmea el hombro y me mira con expresión aterrorizada, pálido y ojeroso.

No voy a poder bajar así, flaco, me van a descubrir, dice con voz angustiada.

Vamos, Doc, ya falta poco, no vas a aflojar justo ahora, lo aliento y él se acomoda las solapas, tiembla, sacude los metales como un barquillero en domingo de tarde.

Ponételo vos, dice y amaga a darme el saco.

Haceme la gauchada, yo te llevo el bolso, implora al borde del llanto.

Me va a quedar grande, Doc. Además esta es tu obra, tenés que firmarla. Si pasás vos con la ferretería, vas a poder contárselo a tus pacientes cuando te recibas: nunca en un posoperatorio, claro, porque se les van a saltar los puntos de la risa. No sería justo, Doc, que renuncies al final de tu hazaña, le dije y seguí mirando la ciudad. En ese momento apareció Angélica con dos corbatas en la mano.

¿Cuál?, preguntó, urgida y radiante.

La de dibujos búlgaros, respondí.

Fue la última vez que la vi.

El revuelo de la llegada nos separó: todos agolpándose en el hall para descender cuanto antes, todos anhelando la escalerilla que los deposita en tierra y el pasaje por la aduana, el rescate de los equipajes sacados de la bodega, los changadores aceptando las disimuladas propinas para privilegiar una valija sobre otra, la tensa espera mientras los vistas palpan, abren, remueven los efectos personales en busca de algo para requisar. Finalmente la estampilla habilitante y la rápida caminata hacia la fila de taxis que aguardan mientras sus choferes dormitan o escuchan tangos en *Radio Artigas*.

Nadie prestó atención al saco de Bisturíes.

Seguramente nadie vio pasar a Miguel con su pequeño bolso, furtivo y calmo, caminando hacia el portón de la calle Río Negro.

Nunca supe por dónde salió Angélica, por más que miré entre la gente buscando la melena rubia y el destello de su bastón.

Después de rescatar mi valija, colgué el bolso del hombro y me dirigí sin apuro hasta la fila de automóviles. Estaba otra vez en la ciudad de la arena, como la había nombrado Angélica. La otra, la del barro, había quedado atrás con sus días de asombro y descubrimiento, la soledad auténtica del cuarto del Hotel Montevideo y el aroma inconfundible de sus calles asentado en la campera y en la piel, como el rastro de un amor fugaz o de un inaprensible sueño.

Regresaba a mi pequeña vida de tres acordes fáciles, como decía Miguel. Me esperaba la estrecha cotidianeidad del apartamento de cuarenta metros cuadrados con balcón a la calle, los ídolos británicos pegados en las paredes, mi novia y mi familia, el empleo, las inciertas vocaciones que me hacían dudar pero no temer, los azules cielos suburbanos y los campos de fútbol perlados de rocío, los días por vivir y la inquebrantable fe que noche a noche entibiaba mi almohada con visiones de lo que alguna vez sería.

Cuando llegué a mi taxi, algo me hizo dudar. Miré la luz incomparable de la ciudad en otoño y llené mis pulmones con el aire fresco de la mañana. Comprendí que, más que llegar cuanto antes a casa, lo que necesitaba era caminar, aprovechar ese simple milagro del movimiento y la traslación.

Sobre los adoquines de la explanada del puerto voy alejándome de la dársena y mi sombra se alarga y me precede mientras avanzo, un paso tras otro, eufórico y liviano como si un soplo secreto me impulsara.

Montevideo, 1995-1997

Se terminó de imprimir en el mes de agosto de 1997
en Central de Impresiones Ltda.
Democracia 2226 - Montevideo, Uruguay
Edición amparada por el Decreto 218/96
Comisión del Papel - Depósito Legal Nº 306.992/97